若者に伝えたい英雄たちの世界史

倉山満
Kurayama Mitsuru

ワニブックス

はじめに

しばしば、「あなたの理想の歴史教科書は何ですか」と聞かれることがあります。つまり、「子どもたちに、こんな教科書で学ばせたいと思えるような歴史の本は何ですか」という問いかけです。

受験で事項を意味も分からず大量に暗記させられて、何の為に勉強したのかわからないという状態が、最低の歴史教育だと思います。しかし、政府の決めたことを今すぐ変えられる訳ではありません。だったら、他人に何かを期待しても無駄なので、自分たちで理想の教育が何か考えましょう。親が考えないと子供が不幸ですから。

私は本書を、中学生にもわかるように書きます。大人に頼ることができない環境にある子どもたちにも読んでほしいからです。

そもそも、なぜ勉強しなければならないのか。

生きる力を身につけるためです。言い換えですが、生きていくのに必要な力を学ぶことが、勉強です。自分が生きていく力にならない学びは、本物の勉強ではないのです。

では、なぜ歴史を学ぶのか。

はっきり言います。歴史なんか勉強したって、いいことなんて、ちょっとしかありません。では、その「ちょっと」って何か。

せいぜい、「頭が良くなる」「自分に自信がつく」「未来へのヒントが見えてくる」くらいです。「別に頭なんか良くならなくていい」「どうせ自分なんて」「今が大事なんで、先のことなんかわからない」、そして「ヒントだけじゃなくて答えを教えてくれよ」という人にとっては、歴史なんか何の意味もありません。

ただし、言っておきます。歴史を持つ動物は人間だけです。歴史を学ぶとは、人としてどのように生きるかを学ぶことです。「朝起きて、ご飯を食べて、ご飯を食べるお金を稼ぐためだけに働いて、寝るだけ」だと、動物の生活と同じです。

動物として生きるか、人間として生きるか。大げさに思うかもしれませんが、歴史を学ぶとは人間として生きる道を、学ぶことなのです。

繰り返しますが、年号や事件、人の名前を覚えることは、歴史の勉強ではありません。日本の受験勉強がそういった間違った教育を「歴史」と教えていますが、嘘です。

歴史を学ぶとは、「自分が経験できない他人の経験を学ぶこと」です。この意味での歴史は、理科系の人やスポーツ選手にも必要なことです。

ノーベル賞を獲るような科学者だって、最初は小学生の知識から始まり、だんだんとレベルが上がっていきます。これは知らず知らずのうちに、科学の歴史を学んでいるのです。

学者の世界では、文系理系関係なく、「先行研究」が重視されます。自分の研究が大発見だと証明するには、他の人の研究を整理して過去に発見されていないことを証明しなければならないのです。

スポーツ選手だって、最初にルールを習い、基礎動作を覚えます。誰にも教えを請わずに世界一のスポーツ選手になった人は、古今東西ひとりもいないはずです。もちろん最後は自分の力だけが頼りなのですが、自分一人で生きていくには、他人の経験をコーチングしてもらう時期が絶対に必要なのです。

この本は、答えを教える本ではありません。ヒントを伝える本です。歴史の中で重要な場面を再現し、自分だったらどうするかを考えてもらいます。そして事実では、どのように展開したのかを知り、さらに考えてもらいます。

この世に、正解などないのです。もしあるとしたら、何が正解かを自分で決めて実現するだけです。その正解は他人に決められたり、押し付けられたりするものではないのです。

では、何を信じればいいのか。それがわからないから、人は歴史――他人の経験――に学ぶのです。そして、私が言っていることも絶対の正解ではないのです。

だから、「あなたの理想の歴史教科書は何ですか」と聞かれても困るのです。あるのは、「こんな本で学んでほしいと思える本」だけです。

私は、国民が歴史を学ぶ上で、段階があると思っています。少なくとも、初等教育と高等教育以降では、分けて考えるべきだと思います。

国策で「日本人全員歴史マニアになれ！」とやるのも異常だと思います。戦時中は本当にそういう教育をしていましたが、歴史といってもやり出したらキリがないのですし、人類の歴史をすべて知っている人なんて存在しないのですから、何が大事なことなのかを選ぶ必要があります。そして目的を、高望みではない、最低線を決めるべきだと思います。

私は初等教育の目的は、「習ったことなんて詳しく覚えていないけど、なんとなく日本はいい国と思えるから好きになること」で構わないと思います。今の日本では「なんとなく日本は悪い国」と思わされているので、これでも高望みかもしれませんが。

初等教育は、今の制度だと小学校と中学校です。中学までの義務教育を出た時に、「北条時宗という人がいた。なんかすごかったらしい」「世界最大のモンゴル帝国をやっつけた」という程度の認識を持っていてくれれば、それで構わないと思います。初等教育で大事なのは、「ウチの国って、なんかすごい。好き」と思えたら、十分でしょう。

小学校では北条時宗ら代表的な偉人の伝記を十人くらい並べて教えるだけで良いと思います。中学校では、少しだけ詳しく、事実を教えればいいと思います。自分の国に誇りを持てる、国史教育です。

それ以上を政府が国民に押し付ける必要はありません。歴史を職業にする人など、ごくわずかです。たいていの人にとっては、他に生きていくのにやることが多いのですから。もし政府が教科書に責任を持つなら、「自分の国の英雄を知っている」「自分の国に誇りを持てる最低限の事実を知っている」で十分です。ただし、教科書と言うからには、理系の職業の人とかスポーツ選手でも、「これくらいは知っている」という事実を選ぶ義務はあると思います。

そうした初等教育が行われているという前提で、高等教育からは本格的に歴史を学びたい人に向けた概説を教えるべきです。学問で最も大事なのは、体系化です。学問においては、部分的な正解には意味が無くて、全体像をどのように構築したかだけが評価されます。だから最初に、概説を学ぶ必要があるのです。もっとも全人類すべての歴史を学べないので、何らかの基準が必要ですが。

この段階になっても、お国自慢だけでは困ります。良い面も悪い面も、全体像を構築できるように、総合的に学ぶ必要があります。この際の軸が、初等教育での学びです。たとえば北条時宗の長所も短所も知る必要があります。人間の評価に100点も0点もあるはずがないのですから、いつまでも「凄い人」としか言えないのでは、歴史の何を学んだのかという話になります。

その時に、中学教科書を見直して、「そう言えば、ああいうことが書いてあったな」という仕掛けがあれば、理想的です。たとえば、「北条時宗が倒した世界最大のモンゴル帝国」もよく読めば、分裂しています。ユーラシア大陸全土から兵隊を連れてきたわけではありません。だからといって北条時宗の偉大さを損なうような教育をすることは論外で、自分が倒した敵の戦力を正確に分析する訓練を行うべきなのです。間違った教訓は、人生に有害ですから。ちなみに戦時中は、「世界最大のモンゴル帝国は強かったけど、神風が吹いたから勝った」という完全に間違った評価を押し付けていました。「歴史教育で学んだら頭が悪くなった」では困ります。

歴史の評価は最後にすることであって、学びの途中ではひたすら事実を集めることが大事なのです。

高等教育だと、高校では基礎的な事実で良いでしょう。大学に入って歴史を学ぶなら、「自分で年表を作る」という作業を身につけてほしいと思います。北条時宗について知りたいと思ったら、彼が生まれてから死ぬまでの年表を作る。北条時宗という人物を知るために必要な事実を集める。自分で年表を作るのが本当の歴史学で、他人が押し付けてくる年表を覚えるのは受験勉強という名の労働にすぎません。別に人物でなくても「元寇」とか「鎌倉幕府」とか、事項でも構いません。何でもいいのです。

自分が本当に知りたいことを見つけるのは大変です。なぜ知りたいのか。そこに思い至るまでに人生があります。人格が形成されます。本当に自分が知りたいことなど、ある程度以上の知識を経て経験を積んで、ようやく見えてくるものなのです。だから、高校教科書では可能な限り幅広く知識を得て、本当に何が知りたいかを見つけて欲しいと思います。

大学生になって歴史を学ぶとすれば、自国の暗黒面も理解した上で自国の立場を主張できるようになって卒業してほしいと思います。

このようなつもりで、本書は中学生でもわかるように、世界の歴史を書いたつもりです。チンギス・ハーン、コロンブス、ナポレオン、パーマストン、ビスマルク、ヴィルヘルム２世と、世界の歴史を動かし、我が国にも影響を与えた人たちが何をしたかを描きました。そして影響を受けた日本の人物、北条時宗、豊臣秀吉、徳川家斉、水野忠邦、大久保利通、伊藤博文がどのような決断をしたのか、読者の皆さんに評価してほしいと思います。

日本人が世界の歴史を学ぶとき、自分たちにとってどういう意味があるのかを考えて欲しいと思い、本書を書きました。

こんな教科書で学びたかった、日本人が語る世界の歴史。この本を読み終えた読者の皆さんからそういう感想をいただけたら、私の試みは成功していることになるでしょう。

令和２年夏

倉山　満

第1章 チンギス・ハーンとモンゴルの落とし子たち

第2章 コロンブスは極悪人

第3章 ナポレオンが「鎖国」をこじあけた

第4章 我こそは世界の支配者パーマストン

第5章 ビスマルクが近代日本を作った

第6章 三国干渉の世界史的意義

装丁・本文デザイン　木村慎二郎
写真提供：ピクスタ／Bridgeman Images／アフロ
クレジットのないものはパブリックドメインです。

第1章

チンギス・ハーンとモンゴルの落とし子たち

問

1268年（1275年）モンゴル帝国の支配者・フビライ・ハーンの使者が来て「日本よ、家来になれ！」と要求しました。あなたが北条時宗ならどうする？

史実では？

無視。断固、拒否する。2回目に来た時は、使者を斬る。日本は誰の家来にもならないと毅然とした態度を示す。そしてモンゴルは2度も攻めてきたが、我が国は2度とも撃退した。

「世界史を作った人」チンギス・ハーン

東は朝鮮半島から、西はポーランドまで、モンゴル帝国は、ユーラシア大陸を闊歩《かっぽ》した、大帝国です。そのモンゴル帝国を築いたのが、チンギス・ハーンです。そして、チンギス・ハーンとは、「世界史を作った人」です。

では、その「世界史」とは何か。日本人が「世界史」と思い込んでいるのは、偽物の「世界史」です。東洋史と西洋史を合わせただけで、「世界史」だと思い込んでいます。しかも、東洋史は単なる中華王朝の興亡史であり、西洋史はもとをたどればギリシャ文明に行き着くヨーロッパ史にすぎません。しかも、イギリス・フランス・ドイツだけでヨーロッパ全部を語っています。その他の大多数の国々はオマケ扱いです。日本人が習う「世界史」とは、「4か国とオマケの歴史」なのです。人によって「世界史」の定義は変わって良いとは思いますが、これはひどすぎます。

チンギス・ハーン

チンギス・ハーンが作った「世界史」とは、「人類の過半数が関わった最初の歴史」です。チンギス・ハーンが登

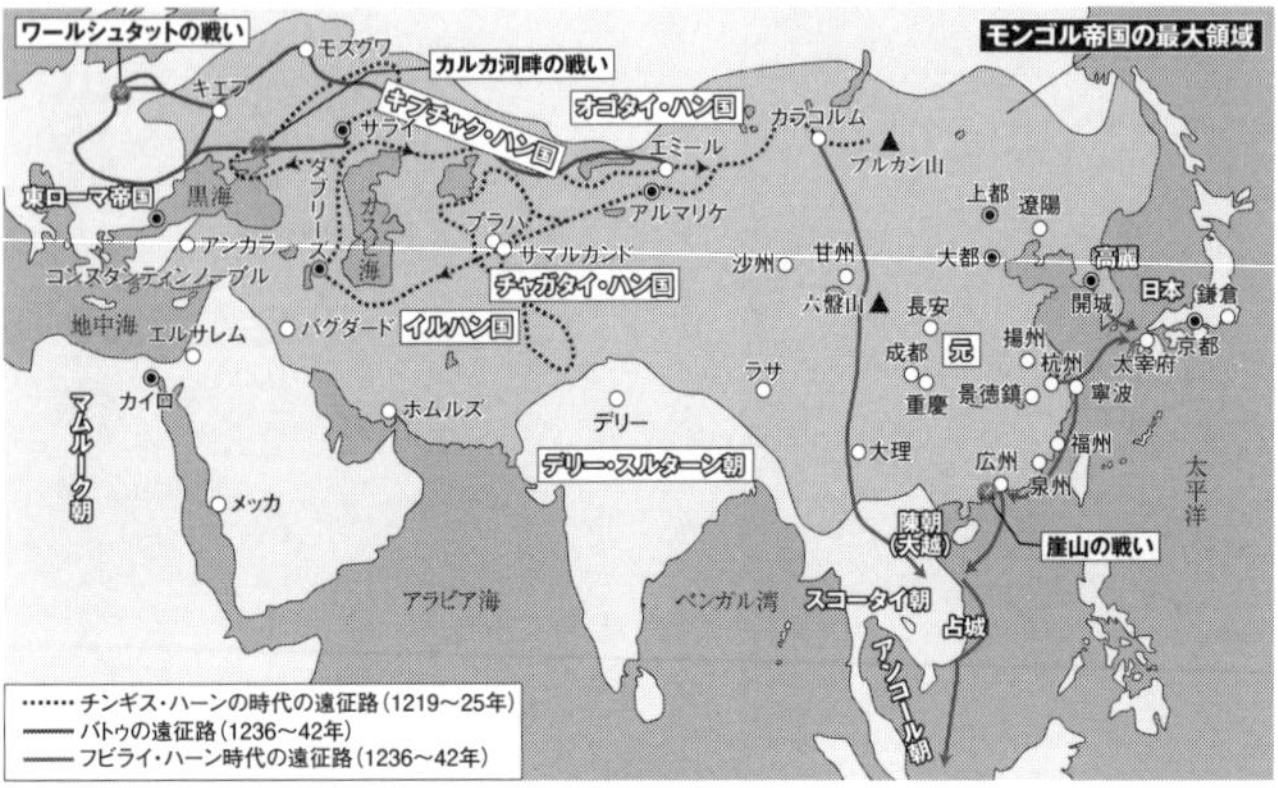

モンゴル帝国はユーラシア大陸全土に影響を及ぼした

場するまで、ユーラシア大陸全土が1つの歴史でつながることはありませんでした。チンギス・ハーンの登場で、初めてアジアとヨーロッパがつながりました。この時代は、1人の人間、1つの国の影響下にあった最初の時代。そんな見方ができるでしょう。

モンゴルが影響を与えた範囲は日本からヨーロッパまでです。モンゴル人が実際に足を延ばした西端はポーランドでした。しかし、ブリテン島まで含めてモンゴルの影響を受けています。一方で、アフリカ大陸のほとんどや南北アメリカ大陸、南半球の人たちにとっては関係ないかもしれません。しかし、彼らの人口を全部足しても、当時の人類の半分以下です。だから、「人類の過半数が関わった歴史」です。

チンギス・ハーンは、人間が住む大半の地であるユーラシア大陸全土に影響を及ぼした最初の人です。では、それまでの世界に、人類の過半数に影響を与えるような人はいなかったのでしょうか。振り返ってみましょう。

自然界の摂理は弱肉強食

138億年前に宇宙ができ、46億年前に地球が生まれ、38億年前に最初の生物が誕生しました。5億4000万年前に「カンブリア紀の大爆発」と呼ばれる生物の多様化があり、脊椎動物も出現します。脊椎動物のなかの両生類が上陸したのが3億6000万年ほど前。恐竜が絶滅して霊長類が出現するのが6550万年前です。現在のヒトであるホモ・サピエンスが出現するのは20万年前です。

ごく一般的な言い方をすると、サルから人間に進化していくわけです。サルの段階で、すでに個だけでは生存できないので、集団があり、ボス猿がいる階級社会です。ですから、共産主義者が言っている、「原始時代、人間は平等だった」との前提は大嘘です。

ちなみに共産主義者とは、「世界中の政府を暴力で転覆して、地球上の金持ちを皆殺しにすれば、全人類は幸せになれる」との主張を掲げ、実行しようとした人たちの事です。なぜか多くの人が騙されて、共産主義が正しいとの誤った考えが広まりました。どうやって騙したかを説明すると一冊の本では済まないのですが、一言にまとめると、巧妙に多くの嘘を重ねました。その第一の嘘が、「人間がサルの時代は、平等だった」です。詐欺師のテクニックですが、最初に嘘を信じ込ませると、どんどん自分のペースに引き込めるものです。共産主義が登場した19世紀の生物学はサルの生態など詳しくわかっていなかったので、そういう嘘が通用したのです。

実際はサルのような哺乳類どころか、両生類の時点で凄まじい闘争の歴史です。そんなのは、両生類のカエルの生態を少し知るだけで見えてきます。

カエルはメスの背中にオスが乗り、抱きつくようにして産卵を促し、オスが精子をかけます。そのとき、ある種のカエルでは複数のオスによってメスの背中の取り合いが始まります。メスの背中に乗ったオスを、ほかの何匹ものオスが襲い、力尽くで取って代わろうと必死です。皮膚が丸ごとむけるような激しい戦いを繰り広げ、弱者はどんどん脱落し、最後に勝ち残ったオスがメスの背中に乗り、そのオスの子どもが生まれます。カエルも弱肉強食の野蛮な生き物です。

弱肉強食といえば、百獣の王のライオンです。ライオンはメスが狩りをし、食糧を確保します。ちなみに、最強のイメージのあるライオンですが、メスライオンのシマウマに対する勝率は9割だそうです。つまり10回に1回はライオンのほうがシマウマに殺されてしまうのです。しかも狩りの成功率自体は、たったの1割だとか。自然の現実は百獣の王にも厳しいのです。

そんな狩りをメスに任せて、群れを守るのがオスの仕事です。オスの仕事は、他のライオンから群れを守ることです。ライオンはオスどうしの戦いで負ければ自分の子どもを皆殺しにされてしまいます。強さこそが、すべて。自然界の掟です。

カエルにしろ、ライオンにしろ、強者が弱者を淘汰していくのが自然界の摂理です。その強者すらも生き残るのが厳しく、いつか必ず消えてゆくのもまた、自然の摂理です。

原始時代のヒトも例外ではありません。人間も強い者が村を作り、支配し、ほかの弱い村を支配していき、国になって広がっていきます。

ギザの大ピラミッド

文明が出現したのは、約5000年前（紀元前3000年ごろ）。エジプトで都市が作られはじめたころです。今から約4600年前（紀元前2500年ごろ）には、そのエジプトでクフ王のピラミッドを含むギザの大ピラミッドが建設されました。

世界中のあちらこちらに文明がありました。エジプト、メソポタミア、インダス、黄河の「四大文明」の他に、エーゲ海文明もありましたし、メソアメリカ（中米）にはオルメカ文明があり、マヤ文明、テオティワカン文明（メキシコ）などが出現しました。しかし、それぞれの文明は点在するだけでした。ちなみに、最近では「四大文明」という言い方をしなくなっています。

四大文明という大嘘

文明が出現するのは、原始人と変わらない生活から、だんだん発展していくのを意味します。たとえば、武器です。人間は手があり、道具が使えるので、武器を持つようになりました。そして、単に持つだけでは終わらず、武器を独占する者が現れます。最強の武器を独占するようになった人たちが、権力者です。今の国家が軍事力、警察力を独占し、国民個人には持たせないようにしているのと同じです。強い者は、弱い者には武器を持たせないようにします。そして、ますます弱い者は強い者に逆らえなくなります。当時は剣《つるぎ》や鎧《よろい》などが権力の象徴であり、今の世界で核兵器の所持が大国の証であるのと同じです。

エジプト文明、メソポタミア文明とはいっても、権力を持つ者が浮かんでは消えを繰り返します。オリエントにおける、その移り変わりを概観しておきましょう。オリエントとは東方のことで、「日が昇る」の意味です。

エジプトでは最初の王朝が登場した紀元前3000年ごろから、紀元前332年にアレキサンダー大王に征服されるまで、31の王朝を数えています。

その間、紀元前18世紀ごろに、小アジア（アナトリア）にヒッタイトの王国ができます。ヒッタイトは最初に鉄器を使用した民族です。

メソポタミアには、紀元前１８９４年にバビロニアができ、アッシリアも登場します。紀元前１０００年ごろ、パレスチナにできたヘブライ王国などはマイナー国家です。今のイスラエルぐらいの狭い地域に、最大で７つの国に分かれるほどまとまりがありませんでした。

紀元前７１５年に、アッシリアがオリエントを統一します。紀元前６８０年に小アジアにリディアが建国されます。リディアは世界で最初の硬貨を使用したことで知られます。このリディアに関しては史料が少なく、謎が多いといわれますが、当時にあっては強大な国でした。

紀元前５２５年にオリエントを統一するのはアケメネス朝ペルシャです。アケメネス朝ペルシャは後述するように、紀元前３３０年にマケドニアのアレキサンダー大王に滅ぼされます。しかしそのあとすぐ、紀元前３１２年にセレウコス朝が成立し、オリエントに中心が戻ります。紀元前２４８年ごろセレウコス朝から独立し、イランの地にできたパルティアも大国でした。

なお、ローマ帝国が中心になったのも一時的です。

ざっと追っただけでも、中心はオリエントであって、決してヨーロッパではなかったのが見てとれます。「ギリシャ・ローマが世界の中心」などというのは大ウソですので、騙されないようにしましょう。

「歴史」を持った人たちは好き勝手言う

権力者が変わっていくなかで、歴史を持った人たちが登場します。のちに「中華帝国」を名乗る人たちとヨーロッパ人です。「中華帝国の歴史観は司馬遷が作り、ヨーロッパ人の歴史観はヘロドトスが作った」といわれます（岡田英弘『歴史とは何か』文春新書、2001年）。

日本人がギリシャに始まるヨーロッパと中国を世界史の中心と勘違いしてしまうのは、彼らが最初に「歴史を書いた」からです。ヨーロッパ人や中国人は、さも、人類の曙からヨーロッパや中華帝国が世界の中心であったかのように書いています。最終的に文字を持つ彼らが勝ったから、好き勝手に書いているのです。

本当は中央ユーラシアの方が中国より強くて豊かな時代が長かったのですが、いかんせん中央ユーラシアの人たちで文字を持っているのは少数でした。13世紀に「世界史を作った」チンギス・ハーンでさえ文字を知ったのは1204年でした。

歴代中華帝国の歴史を概観すれば、中央ユーラシアの北方騎馬民族に対して負けている時期のほうが長いとわかります。さらに言うと、中華王朝が統一した時期すら短く、動乱状態の方が長いのです。

たとえば、漢王朝（前漢：紀元前２０６年〜後8年、後漢：25年〜２２０年）は、「漢字」や「漢民族」などの言葉にその名を残し、中華帝国を代表するかのように思われています。ところが、その漢王朝、前漢の初代皇帝である劉邦《りゅうほう》からして、北方騎馬民族の匈奴《きょうど》に朝貢し、毎年、大量の貢物を差し出して、ようやく国の安全を保っている有り様でした。

その後、漢が滅ぶと三国時代（２２０年〜２８０年）の大動乱です。三国時代を統一した晋（２６５年〜４２０年）も安定せず、五胡十六国（３０４年〜４３９年）の動乱に突入します。

５つの民族が中国本土を荒らしまわって次々と国が浮かんでは消えたので、五胡十六国です。

ちなみに、本当に十六の国だった訳ではなく、主な国と後世の中国人が認定した国が十六ということです。

司馬遷

ヘロドトス

それが少しマシになって、南北朝時代（４３９年〜５８９年）になります。華北流域に騎馬民族が次々と王朝をたて、漢人は南に逃げつつ次々と王朝が交代した時代です。

これを統一したのが隋（５８１

年〜618年）で、北方の王朝です。

その隋に取って代わったのが唐（618年〜907年）です。

隋も唐も北方騎馬民族のトルコ人が、漢民族を征服して樹立した王朝です。その唐が安定したのも、最初の50年くらいです。周辺諸国との戦争や内乱に明け暮れたあげく滅んで、五代十国時代（907年〜960年）に突入します。この時代も騎馬民族が暴れまわりました。

ようやく宋（960年〜1279年）が統一しましたが、弱体王朝でした。

満洲人やモンゴル人に朝貢して（＝カツアゲされて）生き延びるような、情けない国です。後でお話ししますが、元（1271年〜1368年）に滅ぼされます。元は、モンゴル人が漢民族を征服して樹立した王朝です。

さらに先取りして言うと、元が出て行ったあとに打ち立てた漢民族の明（1368年〜1644年）は常に周辺民族に脅かされていました。

西から北に時計回りにチベット、ウイグル、モンゴル、満洲と陸続きで、そして海を隔てた東の日本にも怯えていました。明に代わった清（1644年〜1911年）は、満洲人が漢民族を征服して樹立した王朝です。

清が滅んだ後の中華民国（1911年〜1949年）は、政府が大陸にいる間は一日も休みなく動乱状態でした。今の中華人民共和国（1949年〜？年）は、内に強大な権力を打ち立て、周辺民族に威張り散らしている漢民族の政権ですが、中国の歴史では珍しい状態なのです。

要するに、中国はいつも内輪で喧嘩ばかりしていますし、周辺民族に負けっぱなしなのです。人類の曙から中華民族が文明の中心だなど、フィクション（作り話）なのです。ヨーロッパはというと、これまた常に東方（オリエント）に負け続けています。ヨーロッパの前に大きく立ちはだかっていたのは歴代ペルシャ帝国でした。

数多《あまた》あるヨーロッパ対オリエントの戦いのなかで、ヨーロッパの勝利は数少なく、古代では3回だけです。

1回目はペルシャ戦争（紀元前500～449年）。ギリシャのポリスが結束してペルシャ軍を撃退しました。

2回目はアレキサンダー大王の東方遠征（紀元前334～323年）での勝利。アレキサンダー大王はアケメネス朝ペルシャに勝ち、インドまで行ったところで力尽きましたが、ギリシャ、エジプト、ペルシャの3つの大陸にまたがる大帝国を築きました。

アレキサンダー大王は当時の世界で最も先進的なペルシャの大軍相手に少数で勝っています。東方遠征の途中のイッソスの戦いでは、アレキサンダー大王率いるマケドニア4万の軍が、ペルシャ王ダレイオス3世率いる10万のペルシャ軍に、正々堂々と戦って勝ちました。

しかし、アレキサンダー大王の帝国は一代限りの帝国であり、大王の死後すぐに3分裂してし

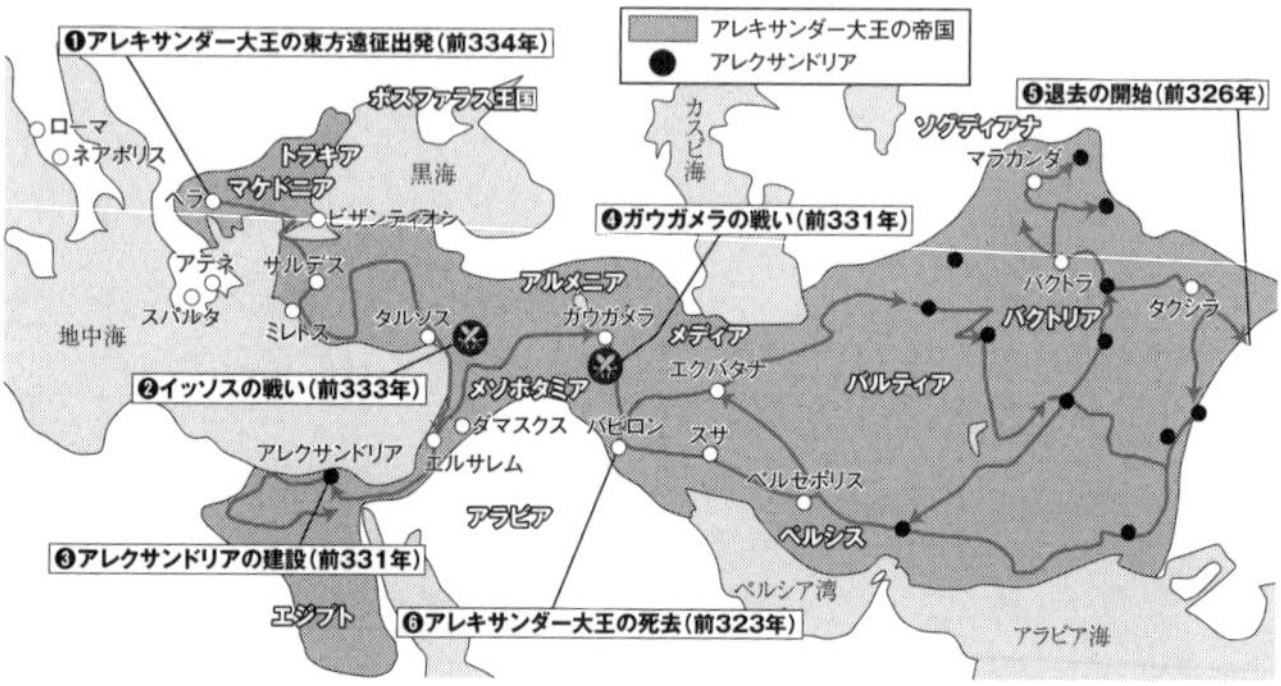

アレキサンダー大王の東方遠征

まいます。アレキサンダー大王はあくまでも一時的にオリエントを通っただけです。

ところで、アレキサンダー大王は東方遠征をしましたが、西には向かっていません。なぜなら、当時のヨーロッパ半島は不毛の土地で、征服する価値がなかったからです。

スポット的ながらも一大帝国を築いたアレキサンダー大王の祖国マケドニアも、いつの間にかローマ帝国に征服されます。

ローマは世界の辺境のヨーロッパで大勢力を築き、ギリシャを征服し、地中海全体をわがものにしようとします。当時、北ヨーロッパは不毛の地ですから見向きもしません。豊かな地中海に面したアフリカに目を付けます。

3回目は、そのローマ帝国が第三次ポエニ戦争（紀元前149～146年）で今のチュニジアにあたるカルタゴを滅ぼし（紀元前149～146年）、さらに、アクティウムの海戦（紀元前31年）でプトレマイオス朝エジプトを滅ぼしたときです。

アレキサンダー大王の一時的な勝利を除けば、ローマ帝国はヨーロッパが初めて長期的に北アフリカに勝った帝国です。ヨーロッパが大帝国のカルタゴや人類の曙から存在していたであろうエジプトにも勝ったわけです。

ただ、ローマ帝国は地中海アフリカに勝ったとはいえ、やはりペルシャには負け越しています。ローマがオリエントに勝ったのは五賢帝（ネルウァ、トラヤヌス、ハドリアヌス、アントニヌス・ピウス、マルクス・アウレリウス）と言われる名君が連続した100年の絶頂期（96年～180年）の最初の2人ぐらいです。

五賢帝の1人目であるネルウァは直接オリエントと戦って勝利したのではありません。しかし、実子がおらず、何ら血縁関係のないトラヤヌスを養子に迎えたのがオリエントに勝利する布石となりました。

五賢帝2人目のトラヤヌス帝はオリエントのパルティアとも戦い、メソポタミアを一時支配し、ローマ帝国最大版図をもたらします。

3人目のハドリアヌスはパルティアとも一応戦うのですが、結局は戦いをやめ、メソポタミアをパルティアに返還し、引き揚げます。

有名な、「皇帝」の語源になったジュリアス・シーザー（ユリウス・カエサル）ですら勝った相手は小アジアの国で、ペルシャには1度も勝っていません。ちなみに、小アジアの国に勝ったときシーザーが出したのが、有名な「来た、見た、勝った」の3語による報告書でした。

オリエントに勝てないまま、ローマ帝国の絶頂期は過ぎます。395年、東西に分裂し、2度と過去の勢いを取り戻せませんでした。西ローマ帝国は、476年に滅んでしまいました。

東ローマ帝国も、腐敗した西を切り捨て生き残ったところまではよかったものの、安穏とはしていられません。オリエントにイスラムが登場するからです。

ジュリアス・シーザー

あっという間にイスラムが世界の中心に

610年ごろ、アラビア半島にムハンマドという人が現れ、現代にまで世界中に影響を与えているイスラム教が成立します。イスラム帝国の領土が瞬く間に絶頂期のローマ帝国を超えてしまいます。イスラム帝国は国が起こったかと思うと、すぐに東ローマ帝国を圧迫する大勢力になりました。

イスラム帝国のあとも、ウマイヤ朝、アッバース朝、ファーティマ朝と出現し、その時々において、最強最大最高の勢力となります。いずれの王朝にも、ヨーロッパが束になってかかってもかないません。

イスラムの強さを見せつけられたのが十字軍の敗北です。キリスト教徒がイスラム教徒に対して起こした戦いが十字軍です。十字軍全8回（数には諸説有り）のうち、キリスト教ヨーロッパが勝ったのは最初の1回だけです。あとは、キリスト教ヨーロッパの全戦全敗です。

史上最強のローマ教皇であるインノケンティウス3世（在位1198～1216年）は、第4回十字軍で東ローマ帝国にも勝ち、一時的にスペインのイスラム教徒にも勝ちました。この人は、キリストやペテロ以来、カトリックが人類の中心であったかのように振る舞った人です。今、西ヨーロッパが世界の中心であるかのように言われているのは、このインノケンティウス3世の存在によります。西ヨーロッパの存在が大きくなるのは、どんなに早くてもインノケンティウス3世からです。

そんなインノケンティウス3世でさえ最強だったのはあくまでもヨーロッパの中に限った話であり、イスラムを凌ぐのは

インノケンティウス３世

無理でした。

イスラムに負けたのはヨーロッパだけではありません。絶頂期の唐（中国の王朝）がイスラムに負けたのが、751年のタラス河畔の戦いでした。700年代以降の世界の最大勢力は、イスラムだったのです。

イスラムは戦いに強いだけで世界の中心だったわけではありません。イスラムが勃興してきたのはオリエントの地ですから、もともとヨーロッパよりは発展していました。たとえば、「数字」です。

「1、2、3……」はアラビア数字です。起源は紀元前2世紀ごろのインドですが、アラビア経由でヨーロッパに伝わったので、アラビア数字と呼ばれます。ヨーロッパで普及したのは13世紀と見られています。

世界最古の地図、世界最古の暦が作られたのもオリエントです。紀元前2000年ごろ、中央アジアに初登場したスポークス付きの車輪が、それから400年後にはエジプトまで普及していたといいます。圧倒的に進んでいたのはオリエントでした。

余談ながら、現代において、そんなイスラム教徒が一定の勢力を持っていない国があります。それはどこでしょう。

日本もその一つで、ムスリム比率はわずか0・1％です（2013年）。OECD（経済協力開発機構）36か国のうち、ムスリム比率が1％に満たないのは日本をはじめ、韓国、（0・1％）、メキシコ（0・3％）、フィンランド（0・7％）などです。また、OECDに加盟していない台湾も0・6％です（店田廣文『イスラム教徒人口の推計2013年』2015年）https://imemgs.com/document/20150714mij.pdf（2020年3月4日閲覧）。

話を歴史に戻すと、イスラムに勝てなくても、キリスト教世界では史上最強のローマ教皇がインノケンティウス3世です。そして、彼とまったくの同時代人がチンギス・ハーンです。チンギス・ハーンが築いたモンゴル帝国は、イスラムをも席巻します。

チンギス・ハーンに酷い目に遭わされるイスラムは、アッバース朝やアナトリアに成立していたルーム・セルジューク朝です。ヨーロッパからすれば、常に東方のイスラムから圧迫を受けているところに、さらにその向こうからもっと強大なモンゴルがやってくるわけです。

チンギス・ハーンは、こうした世界史の流れの中で登場し、大帝国を築いた英雄です。モンゴルの立場から見ればチンギス・ハーンは世界史を作った英雄です。

一方、チンギス・ハーンに征服された国々から見ればチンギス・ハーンは災厄以外の何物でもありませんでした。

1つの事実でも、立場によって色んな見方があります。1つの見方だけが正しいなどと、絶対に考えないようにしましょう。

モンゴルは世界征服を企むアブナイ人たち

戦いに明け暮れたチンギス・ハーンは案外長生きでした。長生きしたからこそ、一代でモンゴル帝国が築けたのでしょう。

チンギス・ハーンの生年には1154年、1155年、1162年の3つの説があり、確定されてはいません。いずれにしても、亡くなったのは1227年とわかっているので65歳以上にはなっていたはずです。

チンギス・ハーンは遊牧騎馬民の一部族の子供として生まれ、子供のときから馬に乗れなければ生活できない暮らしの中で育ちます。遊牧騎馬民は羊を育て、川の水を求めて集団で移動する人たちです。部族間でケンカや仲直りを繰り返しています。はっきり言えば、動物のように原始的な習性をかなり残している人たちです。原始的なだけに戦いに優れ、軍事力が強いのが特徴です。ただし、暴力をこれでもかこれでもかとふるうので、「攻め入られたところは草木も残らない」といわれるのは、あくまでも彼らの一面です。

チンギス・ハーンがまだテムジンと名乗っていた若いころには、懐妊していた妻を敵対部族に奪われたり、記録に残る最初の戦いでは負けを喫したりと苦杯も舐めました。

テムジンは敵対部族を滅ぼし周辺部族を併合していき、1203年に北モンゴルで最有力のケレイト部族長のオン・ハーンを破り、モンゴル高原を統一します。

テムジンは「ハーン」に選ばれ、チンギス・ハーンを名乗り、即位したのが1206年です。ハーンとは、部族の最高指導者の名称です。

チンギス・ハーンのモンゴル軍が向かった先は基本的に西と南でした。

西夏王国を降伏させ、ウイグル王国を寝返らせ、満洲人の金王朝を徹底的に圧迫していきます。

そして1218年、イランの地にあったホラズム・シャー朝に、まずは通商使節を送りました。

ホラズム・シャー朝は、時の君主と実の母后の折り合いが悪く、国を挙げてモンゴルに立ち向かうことができません。なぜなら、軍の多数が君主の命令を聞かず、自分たちと同じ部族出身の母后の命令にしか従わなかったからです。

まず通商使節を送り込んでくるのが、モンゴルの征服の最初の一手です。そのとき、通商使節を受け入れず抵抗した都市は見せしめに破壊され、受け入れたなら受け入れたで、モンゴルは交流しつつスパイを送り込んできます。そして、いつしか相手方の政府にまで浸透し、政府内部に裏切り者を作り、自己勢力を扶植してから最後に軍事侵攻するのが常套手段でした。

このやり方は、20世紀にソビエト連邦のスターリンがコミンテルンを先兵として送り込み、間接侵略でその国を骨抜きにしてから、直接侵略した手口を彷彿とさせます。チンギス・ハーンはいわば、スターリンやコミンテルンの元祖なのです。スターリンがチンギス・ハーンに学んだという記録は寡聞にして知りませんが。

モンゴルは基本的に「原始的」であっても、単に原始的だけとは言いきれない部分が、こうした間接侵略です。原始的なモンゴルに、文明を誇っていた人たちのほとんどが席巻されていきます。

スターリン

遊牧騎馬民族は、海は苦手だけれど、陸はもちろん馬で入れる山も得意です。そして、馬を駆ってあちらにもこちらにも遠征します。いくら馬が移動手段だとはいえ、モンゴル軍の移動距離は気が遠くなるほどです。現代において旅行するとしても、大変な距離です。

それにつけても、チンギス・ハーンの征服の動機がいまひとつわかりません。なぜそんな距離を移動してまで、あちらこちらを征服したがったのか。もっとも、歴史上、勝てるときには勝っていこうとするのが帝国の常です。生物の本能のように、帝国にも膨張本能があるのです。

モンゴル軍は戦闘がうまいとはいえ、準備をせずに攻めかかったことはありません。仮にそうした局面になったとすれば、引き揚げるのです。ホラズム・シャー朝の君主が今のアフガニスタン方面に逃げるのを、インドのガンジス川まで追跡して行ったときも、インドは暑いからという理由で引き返しています。本当は負け惜しみですが、そんなことはいちいち気にしないのがモンゴルです。

モンゴル軍がやっているのは狩りそのものです。戦闘のやり方など特別に訓練しなくても、獲物を追いかけてやっている普段の狩りが軍事演習であり、人間相手の戦闘はその延長線上にあるだけでした。

征服したがった理由など特になく、ただ単に狩りをやっているうちに隣村を征服し、次々に征服していって国ができ、いつしか帝国になっていたとさえ見てとれます。ライオンの群れが縄張りを広げていくのと、さして変わりません。

チンギス・ハーンは登場するや、それまで中心だったイスラムのペルシャに、いきなりの完全勝利です。さらに、勢いづいて大帝国を作ったわけです。

チンギス・ハーンは「世界の半分を支配する」と豪語していたイランを征服してしまいました。イランの言葉はハッタリでしたが、チンギス・ハーンが支配したのは本当に当時の世界の過半数でした。しかも支配したところは、今のロシアのような住めない土地ばかりではなくて、中央ユーラシアの草原の一番豊かなところでした。人口の面でも土地の面でも人類の過半数を征服したがゆえに、「チンギス・ハーンは世界史を作った」のだとする評価は、一定の正当性を持つでしょう。

チンギス・ハーン亡き後、1229年に第3子のオゴデイが第2代ハーンに就きました。オゴ

オゴデイ・ハーン

デイ・ハーンの時代にも、モンゴル帝国は拡大していきます。

1235年、オゴデイ・ハーンのもとで開かれた大集会（クリルタイ）で決まった世界征服計画に則って、翌年、ヨーロッパ遠征が始まりました。モンゴル人たち、本当に「世界征服」を企んでいました。

ヨーロッパ遠征といっても、数ある遠征のうちの1つです。派遣されたモンゴル軍は行く先々の国や町や村を攻略し、征服しながら、ポーランドにまで達します。

ただ、ポーランドに攻めかかっているモンゴル軍にもたらされたのが、オゴデイ・ハーン死去の報でした。突如として、モンゴル軍は引き揚げ始めます。ハーンの死を受けて開かれるクリルタイに参加するためでした。

モンゴル軍が引き揚げず、ポーランドに攻め込んだ勢いのまま進んでいたなら、間違いなくヨーロッパはドーバー海峡の手前までは征服されていたでしょう。それくらいヨーロッパ全土が恐怖していたのです。しかし、のちに朝鮮半島の高麗に侵攻したときも、モンゴル軍はなかなか海が渡れず、江華島に逃げ込んだ高麗に苦戦させられたように、ドーバー海峡を渡ってブリテン島まではは上陸できなかったかもしれません。それでもフランス人あたりを先兵にして、ブリテン島を攻めた可能性は大いに考えられます。のちに、インドネシアを攻めるときにはベトナム人を送り、日本を攻めるときには高麗人を送ってきたわけですから。

とにもかくにも我が日本の傍にも、こんなアブナイ人たちが作った大帝国が迫ってきました。

フビライ・ハーンという危機

拡大の一途をたどっていたモンゴル帝国が、今度は分裂します。

オゴデイ・ハーンが亡くなり、チンギス・ハーンの孫世代の時代になると、これまた歴史上の帝国の例に漏れず、モンゴル帝国にも継承争いが起きたからです。

１２６０年、モンゴル帝国が、元、黄金のオルド、チャガタイ・ハン国、イル・ハン国の４つに分裂しました。

元朝が中国大陸にあったからといって、元が中華王朝の１つと考えるのは間違いです。中国人が勝手に「中国人の王朝だ」と言っているだけです。モンゴル人が中国を支配したのが、元です。決して中国人の王朝ではありません。これが正しいというのならば、日本全土を支配したダグラス・マッカーサーは日本人ということになってしまいます。そんなことは、日本人は恥ずかしくて言えませんが、歴史には本当のことしか書かれていないと決めてかかっていると間違います。

モンゴル帝国を継承しつつ、元朝を建てたのはチンギス・ハーンの孫の１人、フビライ・ハーンです。モンゴル帝国第５代ハーンでもあります。この人物が、日本にとって大災厄となりました。

フビライ・ハーン

１２６８年、フビライ・ハーンから日本の鎌倉幕府に突然、国書が届きます。

冒頭から「上天眷命《しょうてんけんめい》大蒙古國皇帝奉書日本國王」（＝天が慈しみ、命を授けた大蒙古国の皇帝が書を日本国王にさしあげる）と、いきなりの上から目線です。国書の本文はというと、「かつて中国と通好していた日本が、自分の代になってから１人も使者を送ってこないのは、日本国王が諸事情を知らないのではないかと懸念しています。我が意を伝えるために、使いの者に書を持たせました。これからは互いに仲良くしていくことを望みます。兵を用いるのを誰が望むでしょうか」です。要約するなら「お前、家来になれ」と言ってきたのです。

これを読んだ鎌倉幕府は即座にモンゴル帝国は「敵だ」と判断しました。しかし、ケンカを売っているように見える非礼な国書ですが、ほかの国に出したそれと比べると、これでも格段に丁重な手紙だったのです。

単純に経済合理性だけを考えれば、モンゴルの言うままに家来になり、攻めないでもらうという選択もあり得ました。その場合、日本も貿易によって多大な利益を得たかもしれません。しかし、「自分の身は自分で守れなければ、何をされるかわからない」と鎌倉幕府の人たちは知っていたのです。当時の日本人は、土下座して相手の靴の裏を舐めてまで生きていこうとは思わなかったのです。

日宋貿易をしていたので、鎌倉幕府第5代執権・北条時頼の時代にはモンゴルに関する情報は既に入ってきていました。宋は満洲人の金朝にカツアゲされている弱小国家でしたが、その金朝を滅ぼしたモンゴルにはもっと圧迫されます。宋から亡命した禅僧が鎌倉幕府の主な情報源でしたから、モンゴルのアブナさは伝わってきます。

北条時頼

時頼は過労で倒れ執権を辞し、その後出家します。息子の北条時宗は未だ5歳（数え年。以下、日本人の年齢は数え年）と幼かったので、第6代執権に時頼の義兄・長時が就任するものの、彼も病に倒れます。その跡を継ぎ第7代執権には長時の叔父・政村がなりました。時宗が成長するまでの中継ぎ役とは

ことになります。

北条時宗

いえ、政村は名政治家でした。ちなみに鎌倉幕府の執権は短命の人が多く、時頼も長時も早死にします。政村は長老でしたが、元寇の前に亡くなっています。

北条時宗は1264年に14歳で連署（副総理）、1268年に18歳で執権（総理大臣）に就きました。弱冠18歳の執権（総理大臣）として世界最大の帝国を相手に果敢に立ち向かい、日本の運命を背負う

18歳の青年宰相・北条時宗は、どう戦ったか？

フビライ・ハーンの国書は、時宗が執権になったときに届きました。このとき、国書をもってきた高麗の使者は太宰府に留め置かれた後、日本からの返書は得られず、帰国します。時宗は「家来になれ！」と言われたのですが、無視したのです。

翌年1269年にも、フビライ・ハーンの国書が対馬に届きますが、日本側は受け取りさえ拒

否します。使者は対馬から引き返しました。約半年後にまたまた国書が届きますが、これもまた無視します。

それでもフビライ・ハーンはあきらめず、1271年、1272年と続けざまに使者を送ってきては、なんとか国書を渡そうとしました。歴史の結果を知っている未来の日本人の私たちからすると、フビライの努力が涙ぐましく思えてきます。しかし、当事者の時宗は世界中を支配しようとする大帝国を相手に喧嘩を売ったのですから、緊張感は頂点です。

では、再三再四届くフビライ・ハーンの国書を無視しながら、執権時宗は何をしていたのでしょうか。

時宗は第一に、裏切り者を皆殺しにしました。1272年に起きた二月騒動です。二月騒動で短期間のうちに反対派を粛清し、外敵に集中できるよう、挙国一致体制を作ったのです。内に裏切り者を抱えていては戦いになりません。

亀山天皇

そして、天皇大権である外交権を、朝廷から預かります。時宗は時の亀山天皇から強力な信頼を得て、軍事はもちろん、外交大権も全て一任されました。

さらに、鎌倉幕府第7代将軍に源氏の将軍を誕生させ、武士の士気を高めます。これも挙国一致体制作りの一環です。

鎌倉幕府の源氏の将軍は第3代　源《みなもとのさねとも》　実朝が最後だと思われがちですが、4人目の源氏将軍がいます。第7代将軍の　源《みなもとのこれやす》　惟康がその人です。

第6代将軍宗尊《むねたか》親王が時宗にクーデターを起こそうとしたのを理由に、京都にお帰りねがい、宗尊親王の息子惟康王を新たな将軍に迎えました。そのとき、惟康王に臣籍降下し、源惟康を名乗ってもらったのです。これで、源氏の将軍の旗のもとに皆が結集できる体制が整いました。

ちなみに、話を先取りしておくと、2度にわたる元寇ののち、源惟康将軍は京都に戻り、親王宣下され、惟康親王となります。

北条時宗は、朝廷、寺社、幕府の、いわゆる権門体制と、幕府に属さない武士を加えた全員が一致団結する体制を作り上げたわけです。

1271年、フビライ・ハーンが国号を元に変えました。ここからが、元朝の始まりです。

北条時宗はフビライ・ハーンからの合計6回の国書（うち、1回は日本側には届かなかった）を、悉く無視しました。

しびれをきらしたフビライ・ハーンが、いよいよ軍を日本に向けて攻めてきます。1274年、文永の役です。

モンゴル軍はどこから攻めてくるのでしょうか。一番考えられるのは北九州です。太宰府に軍

文永の役

勢を集結させていると、元軍は対馬、壱岐を蹴散らしながらやってきました。

俗説では、モンゴルの集団戦法に対して日本側は重い鎧を着けて「やあやあ我こそは」などとやっていたから苦戦したといわれますが、それがすべてではありません。無能な鎌倉武士が元軍にさんざん翻弄されたあげく、神風が吹いたので勝ったなどとする説が長らく信じられてもきました。しかし、実際のところ日本側の重装騎兵に対して、元軍の軽装歩兵が必ずしも有利ではないのです。

お互いにどんな戦い方をするのかもわかっていませんでした。モンゴルからすれば、いざ戦ってみると、日本が意外と強かったので国に引き揚げていったところ、台風に遭って壊滅し、日本のほうも1日目は負けたと思って引き揚げたけれども、モンゴルが帰ってしまっていたので拍子抜けしたというのが実情でした。

戦いではこうした光景が、よくあります。

元軍の総司令官ヒンドゥは自分が負けたとは一言も言っていません。日本に攻めかかっていくと、意外に手強いので引き返したところに台風がきましたとだけ報告しています。それはそうでしょう。彼の主観ではそのとおりであり、総司令官の立場としても、負けたとは言えません。

しかし、客観的に見れば日本の勝ちです。

世の中には、日本が勝ったのを認めたくないからなのか、「威力偵察だった」という人がいますが、そう言う人は、この戦で何人の人が死んでいると思っているのでしょうか。また、フビライが日本を攻めるために、高麗に戦艦1000艘の建造命令を出し、実際には900艘に乗って3万人弱の兵がやってきたことをどのように説明するのでしょう。そんな威力偵察がどこにあるというのでしょう。

たとえ、文永の役が辛勝だろうが、日本の勝ちは勝ちです。モンゴル人にとっては数少ない負けの1つですが、モンゴル人は負けを気にしません。だからといって、日本が勝っていないことにはならないので、念のため。

文永の役後も、フビライから性懲りも無く「降伏しろ」との国書が送られてきます。負けたと思っていないのですから、当然です。

北条時宗は、ならばこちらから打って出ようと、朝鮮半島への逆侵攻計画を考えます。というのは、時宗には文永の役で働きのあった武士たちに、恩賞としての所領を与えられないという切実な問題があったからです。ただ、力が均衡している場合、守る方が有利なのが戦いです。時宗は防衛に専念することにしました。

フビライのほうは、その間に高麗と宋を完全征服しています。

フビライが宋を征服したときは、相手を海に叩き落とすように攻めています。中国を征服する時の、セオリーどおりのやり方でした。ちなみに、支那事変（1937年〜1945年）の時の日本のやり方はこれとは全く逆でした。時計回りに攻めて、相手を山に追いやりました。わざと長引かせるべく、勝たないよう戦ったとしか思えません。

1275年4月、文永の役からわずか6か月にして、元の使者が長門国室津《ながとのくにむろつ》（現下関市室津）に到着します。

さて、このとき時宗はどうしたでしょうか。

世界最大最強の国と二度目の戦い

使者たちは一旦、太宰府に移されてから鎌倉に送られ、鎌倉に着いて約1週間後に処刑されます。この時の使者が斬られた事実が元に伝わったのは、ほぼ5年後です。

1279年、前回の使者が斬られたのを知らないままに、次の使者が到着しました。使者はや

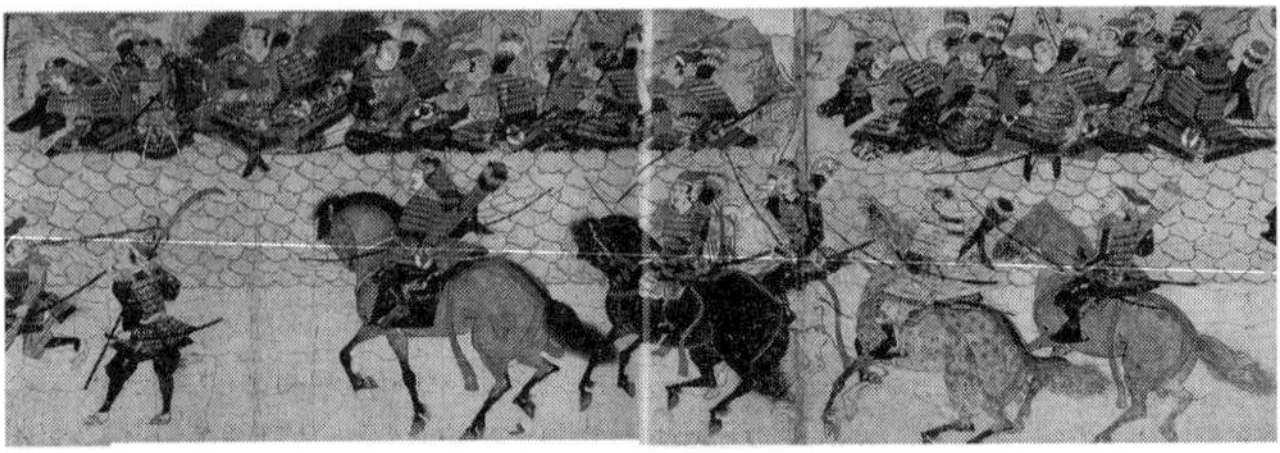

元寇防塁

はり斬られます。

北条時宗は、文永の役が起きるまでは使者が何回来ようとも、元軍が攻めてくるかどうかはわからないので使者をそのまま返しています。人道的措置です。

ところが、文永の役を経てからは、やってきた使者を斬ります。絶対に元の言いなりにならないと宣言したのです。もし負ければ、日本人はモンゴルの奴隷です。一丸となって戦って勝つしかありません。

時宗は、戦時体制を敷きます。なかでも重要なのは石塁《せきるい》の築造です。モンゴル軍を上陸させないためでした。この時の石塁は今も残っていて「元寇防塁」と呼ばれています。

1281年、日本側の挙国一致戦時体制が続く中、弘安の役が起こります。やってきたモンゴル軍は、フビライが征服した南宋の兵も加わった大軍でした。

今回は上陸させまいと夜襲を毎日のようにかけ、眠らせないようにするなど粘りに粘った戦いで、モンゴル軍が停滞します。そこへ台風がきて、モンゴル軍の船は次々と沈んでいきました。さらに、逃げるモンゴル兵を追撃していき、追い返しました。完勝です。

先の文永の役が水際撃滅だとすれば、弘安の役は艦隊決戦で完勝したといっていいでしょう。

これを「神風が吹いたから勝った」と言い張る人がいますが、違います。台風が来るまで戦い抜いたのです。戦いにおいて、天候は風任せでは勝てません。自らの意思で天候を利用するものなのです。

当時世界最大最強の国に、日本は勝ちました。

元寇防塁（福岡市西区の生の松原）　©ピクスタ

余談めきますが、これがヨーロッパ人であればこの勝利を以って、自分たちが世界の中心だったと喧伝するに決まっています。

現に、ペルシャ戦争がそうです。

ヨーロッパがペルシャに勝ったのはほぼまぐれ当たりです。しかも、ペルシャのほうが文明人で、自分たちのほうがよほど野蛮人だったのにもかかわらず、いまだに『300〈スリーハンドレッド〉』（2006年）のような映画を作っては、ペルシャは野蛮だったと吹聴しています。

それに比べると現代日本では、北条時宗に関してはNHK大河ドラマ『北条時宗』、マンガはさいとうたかをの『北条時宗』が

古戦場跡の亀山上皇の銅像
（福岡市博多区）　©ピクスタ

あるくらいです。日本人自身の北条時宗に対する評価は不当に低いと言わざるを得ません。

フビライ・ハーンは3度目の日本侵攻を計画していました。１２８４年、またもやフビライ・ハーンの国書を持った使者が対馬に到着しますが、船員の反乱によって使者は殺されてしまいました。

北条時宗は弘安の役後、3度目の元寇に備えながらも、１２８４年、34歳で短い生涯を閉じました。過労死です。

１２８６年、元は日本遠征を中止し、１２９４年にフビライ・ハーンが没します。その後の鎌倉幕府は慢性的な戦時体制でしたが、やがて疲れて警戒を解きます。こういう時は緊張感が一挙になくなります。武勇を誇った鎌倉幕府も１３３３年に滅び、やがて足利尊氏を初代将軍とする室町幕府が開かれることとなります。

元朝では漢民族が反乱を起こします。手を焼いたモンゴル人は中国を捨てて、北のモンゴル高原に帰りました。ちなみに中国人は「元を滅ぼして明を建国した」などと、これまた大ウソをついて日本人でも信じてしまう人が多いのですが、間違いです。モンゴル人は滅ぼされてなどおらず、故郷に帰っただけです。

さて、中国人は明を建国しますが、安定しません。周辺を女真、北元（モンゴル）、イスラム教徒、そしてチベットに囲まれ、海を隔てれば日本がある状況だったからです。

北虜南倭と言います。北（というより陸地すべての周辺）を騎馬民族たちに囲まれ、海の向こうには強大な日本がいる。倭寇と呼ばれる海賊たちは、明の沿岸で暴れまわります。次第に「倭寇」を名乗る「チャイニーズ倭寇」や「コリアン倭寇」が多数となりましたが、日本の倭寇の凶暴さは拍車をかけます。明は勘合貿易と言って日本の室町幕府と貿易をするのですが、この人たちは政府を名乗る広域暴力団です。正規の貿易の前に略奪を始める無法者集団だったので、大量の土産物を渡してお引き取り願うのが常でした。

倭寇　©Bridgeman Images/ アフロ

なお、明は慢性的に周辺の騎馬民族と交戦状態に陥り、内乱も頻発します。

一方で軍事大国の日本は外国とほとんど戦争することがありません。例外が1419年に朝鮮の世宗大王が対馬に攻めてきた応永の外寇です。この時は現地にいた武士だけで撃退しています。

モンゴルの落とし子たち

モンゴル帝国が大きく4つに分裂し、その中心だった元も北に追いやられました。モンゴル帝国そのものが、いつ滅んだのかというのはよくわかりません。

しかし、モンゴルの影響を受けた国は数多く存在しました。その最大が、ティムールが中央アジアに建てたティムール帝国です。ティムールが明を征服していたなら、フビライ・ハーンが断念した3回目の日本侵攻が実現していた可能性が高かったと考えられるくらいです。そんなティムールの脅威がなくなり、トルコ人のオスマン帝国が勢力を伸ばします。

オスマン帝国はティムールの脅威がなくなった後、ヨーロッパ全てが束になっても敵わない大帝国になっていきます。

分裂したモンゴル帝国の1つ、イル・ハン国にとって代わるように、イランの地にはサファビー朝ペルシャが出てきました。

ティムール朝の末裔が、インドにその名もムガール帝国を打ち立てます。ムガールはもちろん「モンゴル」からきています。

北方のモスクワはタタール（モンゴル）のくびきを離れて、のちのロシア帝国になっていきま

ティムール

す。モンゴル以後のユーラシア大陸を見るだけでも、モンゴルが残した影響は多大です。

翻って、北条時宗はそんなモンゴルに勝ちました。英雄の中の英雄です。

日本人は歴史とは「事実に忠実に記さなければならない」と考えています。それはそれで立派なことなのですが、外国の人も日本人と同じように考えていると思い込むと騙されてしまいます。

むしろ、「歴史は自分に都合がいいように主張するもの」が普通なのです。

世界と闘う第一は、心構えからです。

問 1268年（1275年）モンゴル帝国の支配者・フビライ・ハーンの使者が来て「日本よ、家来になれ！」と要求しました。あなたが北条時宗ならどうする？

史実では。

1268年のときは使者を追い返し、本当にモンゴルが攻めてくるかどうかわからないけれども、挙国一致体制は作り、備えるだけ備えました。

1275年のときは、使者を斬る。そして、更なる徹底した挙国一致体制で備えました。その結果、モンゴルは得意とする間接侵略ができずに終わりました。

第1章の教訓

勝手なことを言う外国人に騙されるな！

第2章

コロンブスは極悪人

問

1587年、あなたが、カトリックの侵略を知った豊臣秀吉だったらどうする?

史実では?

問答無用でカトリックを全員追放し、日本人のカトリック信者を含めて26人を火炙りにして見せしめにした。

大航海時代という名の侵略の始まり

蒙古襲来に挙国一致で臨み、防衛に成功した日本はその後、日本史のなかでは異様な時代を迎えます。力と陰謀がすべての室町幕府の登場です。もっとも、それが、世界史では普通なのですが……。

元寇を乗り切った第８代執権北条時宗から約50年後、１３３３年に鎌倉幕府は滅びました。１３３４年、元号を建武に改め、幕府を倒した後醍醐天皇が親政を行います。建武の親政です。天皇が親《みずか》ら政治を行ったので親政です。しかし、後醍醐天皇の建武の親政は難航し、僅《わず》か３年余で崩壊。南北朝の動乱を招きました。

後醍醐天皇

京都には朝廷があるのに、後醍醐天皇が吉野（今の奈良県の山奥）に立てこもり、「こちらの朝廷こそ本物だ」と抵抗を続けたからです。京都の朝廷が北朝に対し、吉野が南朝です。北朝を担いだのが足利尊氏です。

１３３８年、征夷大将軍に足利尊氏が任命されます。

室町時代の幕開けです。室町幕府は束の間の安定をもたらした一方で、長きにわたる混乱を繰り広げました。

足利尊氏と足利直義《ただよし》兄弟の二頭政治に端を発した日本史最大の戦乱・観応《かんのう》の擾乱《じょうらん》（１３５０〜１３５２年）。そして、誰が何のために戦ったのかわからない応仁・文明の乱（１４６７〜１４７７年）など大きな戦乱が続き、あげくのはてに戦国時代に突入していきました。

日本の隣には、漢民族が明を建国しました。

足利尊氏

明は元を滅ぼしたと言い張るのが常ですが、モンゴルは滅んだ訳ではありません。元は北のモンゴル高原に帰っただけで、北元として20年近く存在します（１３６８〜１３８８年頃）。モンゴルの正統後継者と言われたティムールは明への遠征まで視野に入れていましたが、病に倒れ実現しませんでした。
ティムールの病没で劇的に落ちたのが、モンゴルの影響力です。イランはペルシャ人による王朝（サファビー朝）に戻り、トルコ人のオスマン帝国は大勢力になります。押さえつけられていた地域が盛り返してきました。
ユーラシア大陸の最果ての辺境であるヨーロッパ半島の人々は、イスラム教徒からエルサレムを取り返そうとして始めた十字軍を遂にあきらめました。ヨーロッパは新興のオスマン帝国には

応仁・文明の乱

東になってもかないません。オスマン帝国は東欧諸国を次々と侵略していきます。

ヨーロッパ人たちはインドの胡椒を欲しがっていました。しかし、陸路でインドを目指せば、そこにはオスマン帝国が立ち塞がっています。そこで、陸路をあきらめ、海に出てインドを目指したのです。そのころヨーロッパで起きたのが、レコンキスタ（失地回復運動）の完成です。

イスラム教徒によるイベリア半島の支配が始まったのが７１１年。キリスト教徒がレコンキスタを起こしてから約８００年後の１４９２年、ついにヨーロッパ人がイスラム教徒をイベリア半島から追い出してしまいました。長い間イスラム教徒の支配を受けてきたヨーロッパのキリスト教徒にとっては、大事件でした。

イスラム教徒を追い出したその勢いで、ポルトガルとスペインは海の向こうにまで飛び出して行きました。

なぜかポルトガルはアフリカに向かい、スペインは反対方向の南米へと向かいます。最初からそうした縄張りを分けていたわけではありません。

ポルトガルがアフリカに、スペインがアメリカにそれぞれ侵略を開始していく時期から、大航海時代と呼ばれます。

感染症を世界中に広げたヨーロッパ人

折しも、ヨーロッパで宗教戦争が激しくなっていきました。

1517年ごろから、カトリックに抗議する人たちプロテスタントの動きが激化します。現在の国名でいえば、ポルトガル、スペイン、イタリア、フランス、ドイツ南部、オーストリアなどヨーロッパ半島の西南ではカトリックが残ります。それに対して北部のオランダ、スイス、ドイツ北部、スウェーデン、ノルウェーなどはプロテスタントが主流になっていました。

同じキリスト教のなかのカトリックとプロテスタントのあいだで、ヨーロッパを二分する激しい戦いが繰り広げられます。

内で戦いながら、外へも出て行くのがこの時期のヨーロッパ半島の人たちです。宗教改革と大航海時代が重なります。さらに言うと、「ルネサンス」と言って、芸術や文化の絶頂期を迎えるのも、この時期です。

カトリックもプロテスタントもどちらも貿易を求めて外へ出るのは同じです。その一方で、プロテスタントの台頭により、カトリックはヨーロッパでは劣勢になりつつありました。そこで、カトリックは信者を外に求めようとしたのです。

ヨーロッパは海に飛び出していって何をやったのでしょうか。

軍事力と経済力と、そして宗教力によって、より弱い、世界の多くの国々を征服していったのです。そして、〝生物兵器〟も使いました。感染症です。諸説あるのですが、ヨーロッパ人は風邪だか天然痘だかをアメリカ大陸に持ち込みました。未知の病原菌に対して現地人は抵抗力が弱く、またたくまに伝染病が広がり、多くの人が亡くなります。もっとも、兵器として使おうとしたのではなく、自然に広がっただけのようですが。

メキシコのアステカ帝国やペルーのインカ帝国も、あっという間に国力が衰えます。そんなところに宗教で洗脳し、富を奪う。そうなれば現地人は戦う気力を無くしてしまい、軍事的に侵略するのは簡単です。

アメリカ大陸に天然痘などの感染症を持ち込んだのがスペイン人ならば、原住民を虐殺し、破壊行為をはたらいたのもスペイン人です。コンキスタドール（征服者）と呼ばれました。

よく知られたスペイン人のコンキスタドールには、コルテスやピサロがいます。コルテスは

コルテス

ピサロ

１５０４年、コロンブスが「発見した」イスパニョーラ島に植民者となって渡ります。そこからメキシコに入り、１５２５年にはアステカ最後の王を絞首刑にして、アステカを滅ぼしました。

ピサロは１５２８年、時のスペイン王カルロス1世（神聖ローマ皇帝カール5世）からペルー総督に任命され、インカ帝国征服に乗り出します。１５３３年、インカ皇帝を処刑し、インカ帝国を滅亡させました。

コルテスやピサロの征服行為がどれほど残虐だったのかを、ラス・カサスの『インディアスの破壊についての簡潔な報告』が告発します。ラス・カサスとその著作については後でお話ししましょう。ちなみに、インディアスとはスペイン人が大航海時代に侵略していったところの総称です。目指すところがインドだったので、そう呼ばれました。

ところで、どれほど残虐非道なコルテスやピサロであっても、スペインにとってはいつまでも

〝英雄〟のようです。スペインで最後に使われた1000ペセタ紙幣（1992～2002年発行）の表にはコルテス、裏にはピサロの肖像が印刷されていました。

そんなスペインの侵略の端緒を開いたのがクリストファー・コロンブスです。

知られざるコロンブスの半生

コロンブスは日本の教科書でも「新大陸発見」の言葉とともに、必ず紹介されます。子供向けの読み物や伝記の類も多く、偉人扱いされています。コロンブスは、誰もがよく知っていると思いきや、特定されていない事項も多く、実は謎が多く残る人物なのです。そんなコロンブスをひととおり紹介しておきましょう。

コロンブスは、1451年ころイタリアのジェノバの毛織物職人の息子として生まれ、クリストーフォロ・コロンボと呼ばれます。では、イタリア人だったのかといえば、わかりません。コロンブス＝ユダヤ人説は根強くあり、最近ではポルトガル人説もあるようです。

クリストーフォロ・コロンボは、その後、自ら姓を「コロン」と変え、35歳から死ぬ1506年までクリストーバル・コロンと名乗っていました（コロンブス、林屋永吉訳『全航海の報告』

岩波文庫、2011年)。クリストーバル・コロンはスペイン語風の読み方であり、クリストファー・コロンブスは英語読みです。なぜ姓を変えたのか、それがなぜ「コロン」なのかは明らかになっていません。おまけに、コロンブスの用いたサインも名前とどう結びつくのか、謎だそうです。

コロンブスは若いころから船に乗っていました。船といっても、コロンブスのこの時代には商船と水軍と海賊船の区別はあ

クリストファー・コロンブス

りませんでした。

船で海に出てしまえば警察は来られません。だから、今でも船長が警察権を持っています。たとえば、日本での船長の警察権は「大正12年勅令第528号司法警察官吏及司法警察官吏ノ職務ヲ行フヘキ者ノ指定等ニ関スル件」の第6条に「遠洋区域、近海区域又ハ沿海区域ヲ航行スル総噸数二十噸以上ノ船舶ノ船長ハ其ノ船舶内ニ於テ刑事訴訟法第二百四十八条ニ規定スル司法警察官ノ職務ヲ行フ」と認められ、この法律は今でも生きています。

平和だと思っている我々の時代でも、このような法律があるわけですから、ましてや、前近代のヨーロッパにおける海上はどんなに危険だったことか。

コロンブスは28歳のころ、貴族階級の25歳の娘と結婚します。コロンブスのほうが年上ですが、

相手の25歳は当時の感覚からすれば結婚適齢期をはるかに過ぎているようです。それゆえ、身分の低いコロンブスが貴族の娘と結婚できたのだと見られています。

コロンブスが生まれたころ、ポルトガルに「航海王子」と呼ばれたエンリケ王子（1349〜1460年）がいました。エンリケ王子自身、航海はほとんどしなかったのですが、金《きん》を探し当てるためにアフリカ西岸に艦隊を派遣したり、地図を作製させたりするなど海洋進出に熱心に取り組んでいたのでそう呼ばれていました。実際には自分では航海に出ず、船が苦手で船に乗ると船酔いばかりしていたとの説もあります。「船酔い王子」です。それはさておき、王侯貴族にエンリケ航海王子のような、海に出ていく冒険に多額の出資をするスポンサーがいた時代でした。

コロンブスは地球が丸いと信じ、西に進めばインドに着くはずだと考えていました。早くから船に乗っていた経験則もあったようです。それまで知られていた、アフリカをぐるっと回って東へ進むのとは反対に、西に進路をとる航海計画を立て、ポルトガルの王にスポンサー依頼をします。しかし、ポルトガルには受け入れてもらえませんでした。コロンブスの報酬と処遇に対する要求が法外だったからです。

エンリケ王子

コロンブスの相当強気な要求と態度にもかかわらず、計画

イサベル１世

を受け入れてくれたのは、のちに、スペイン王国の中心となるカスティーリャ王国の女王イサベル１世（在位１４７４～１５０４年）でした。当時のスペインはアラゴン国王フェルナンド２世とカスティーリャ国女王イサベル１世夫婦が治めていました。レコンキスタを達成したのは、「カトリック両王」と呼ばれたこの２人の統治下でのことです。

カトリック両王という強力なスポンサーを得て、１４９２年８月に出港するところから、コロンブスの４回に及ぶ航海が始まります。

最初の航海は、３隻の船に約90人の乗組員が分乗し、出港約２か月後、10月にはバハマ諸島に達しました。

最初に陸地を発見した者に、カトリック両王から報奨金が出ることになっていました。最初に陸を発見したのは部下でしたが、コロンブスはその事実を伏せ、部下が発見する４時間前にコロンブス自身が〝明かり〟を見つけたと言い出し、報奨金を手にします。コロンブスがいかに強欲だったかがうかがえるエピソードです。

「彼らは利発で良き僕《しもべ》になるにちがいない」（コロンブス、青木康征編訳『完訳コロンブス航海誌』平凡社、１９９３年）。最初に上陸した島の原住民に抱いたコロンブスの第一印象です。コロン

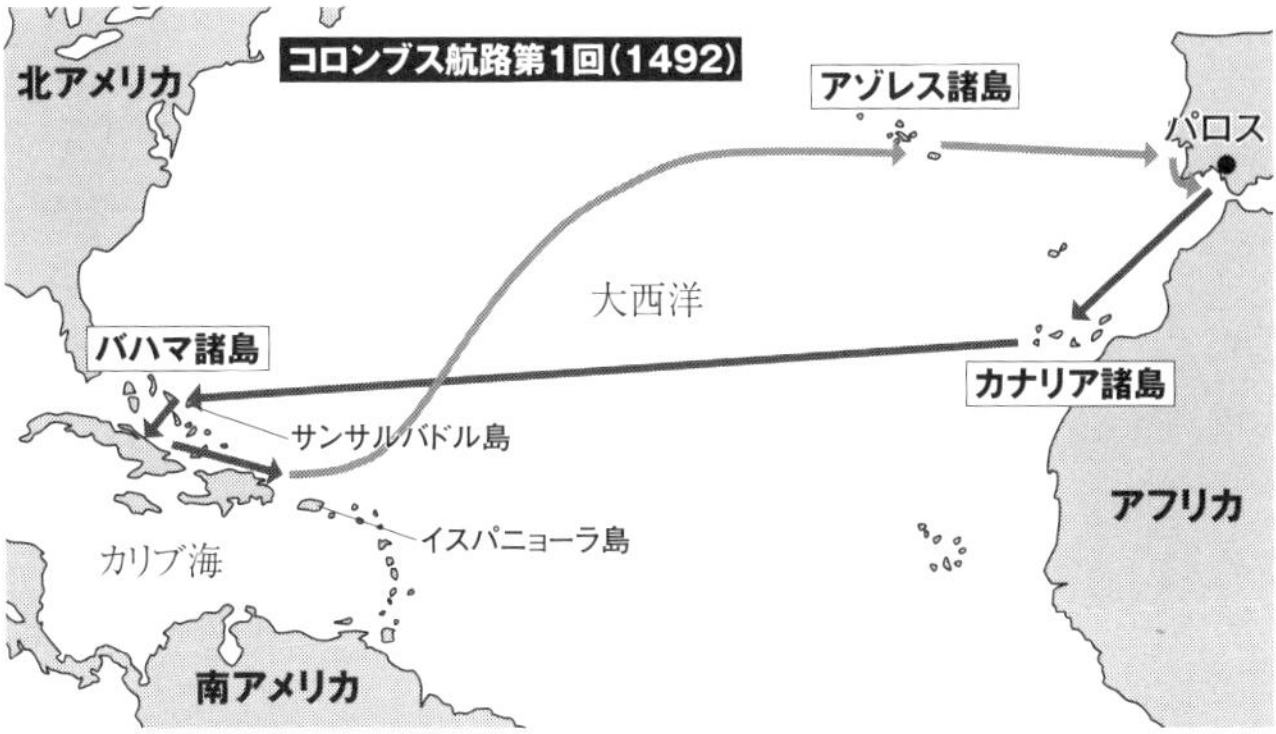

コロンブスの航路

イスパニョーラ島に上陸するコロンブス

ブス自身が10月11日付の航海日誌に書き残しています。続けて「言葉を学ばせるため」に原住民6人を連れ帰るつもりだとも記します。最初から原住民を奴隷にする気だったのです。

12月には今のドミニカ、ハイチのあるイスパニョーラ島に着き、原住民から歓待を受けます。スペイン人は彼らをインディオと呼びました。英語ではインディアンです（以下、インディアンと記す）。インディアンが親切にしてくれたのをあざ笑うかのように、コロンブスの一行はさんざん掠奪をはたらき、同胞39名を残して一旦帰国します。帰国したコロンブスは歓迎を受け、カトリック両王との約束どおり、持ち帰った財宝などの10分の1を受け取りました。

コロンブスの悪業

2回目の航海は、1493年9月。今度は植民目的に、約1500人が17隻の船でイスパニョーラ島に向かいます。

そして、またもや原住民を大虐殺。行く先々で無差別殺戮の嵐です。スペイン人の目に映る物すべてが略奪と破壊の対象です。何ひとつ、破壊を免れられません。ありとあらゆる残虐行為を駆使し、インディアンに黄金のありかを聞き出そうとします。武器らしい武器も、免疫ももっていないインディアンたちはスペインの軍事力と疫病に一方的に蹂躙されるだけです。もはや、インディアンには逃げるしか助かる道はありませんでした。しかし、インディアンが逃げた結果は飢餓となって、インディアン自身を襲ったのです。

インディアンたちがどんな罪を犯したというのでしょう？　いきなりやってきた見知らぬ人間をお人よしに歓待し、自分の土地を自分で守り切れなかったことです。すべてを奪われ、殺された後で、「インディアンはかわいそうだった」と歴史に書いてもらっても意味がありません。生きている時に不正を正せない、弱いということは、それ自体が罪なのです。

そして、そんなコロンブスらも、ユーラシア大陸の遊牧騎馬民に敵わないから、新たな土地で弱い者いじめをやっているのです。最低の連中です。

インディアンの酋長を捕まえてスペインに連れ帰ろうとしたところ、劣悪な船内環境のためスペインに着く前に酋長は死んでしまう始末です。

コロンブスはカトリック両王にインディアンを奴隷としてスペイン本国に送り込むことを提案していますが、これにはイサベル1世は同意しませんでした。

コロンブスを批難する声が王室にまで届いていました。それもあって、次の航海の許可がおりるまでには2年もかかり、それまでの歓迎ムードとはずいぶん違ってきていました。

やっとのことで1498年5月、6隻の船で3回目の航海に出ます。このとき、コロンブスはそれまでの航海で知った島々を回り、新たな島を探検し、イスパニョーラ島に着いたのは8月でした。

コロンブスがイスパニョーラ島を2年不在にしているあいだに、現地では植民者（つまり侵略者の白人）たちの不満が高まり、治安も悪化していました。期待していた富が得られなかったからです。そんな情勢はスペイン本国にも報告されていました。

イスパニョーラ島の首都としたサント・ドミンゴに着いてからコロンブスは国王に弁明の手紙を書き、なんとか王室の信用をつなぎとめようとします。

1500年、カトリック両王が現地に査察官を差し向けます。王令によってコロンブスは逮捕され、しかも鎖をつけたままスペイン本国に送還されてしまいました。犯罪人扱いです。実際に犯罪者そのものでしたが。

王室は鎖を付けたのは自分たちの本意ではなかったとコロンブスに告げますが、イスパニョーラ島の統治からコロンブス一族を排除します。

1502年、失意のうちにあっても、コロンブスは4回目の航海にこぎつけました。が、思うようにはいかず、しかも一番の理解者だと信じていた、強力なスポンサーであったイサベル1世が1504年に亡くなってしまいます。コロンブスは病床のイサベル1世に謁見するのも許されませんでした。

1505年にフェルナンド王に謁見を許されたコロンブスは、経済的特権以外のかつて約束された待遇の特権はすべて奪われ、1506年、54歳の生涯を終えました。

侵略に先鞭をつけたコロンブスが亡くなっても、それに続く者が同じような、あるいは、それ以上の残虐行為をはたらきました。

スペインのほうが、インディアンたちよりも軍事力、経済力、科学技術力、そして宗教力のすべてにおいて勝《まさ》っているので、弱い者いじめに成功しました。さらに、病気を移して住民虐殺です。

侵略の権化、スペイン人

コロンブスに始まるスペイン・コンキスタドールの悪徳非道な行為、残虐な手口を告発する人が出てきます。同じスペイン人の聖職者バルトロメー・デ・ラス・カサスです。彼は、ときのスペイン皇太子フェリペ（のちのフェリペ2世）にあてて『インディアスの破壊についての簡潔な報告』を書きました。同書は、スペイン人のインディアス侵略がいかに悪逆非道だったかを告発しています。

１４９２年、コロンブスが「発見」したインディアスに、翌年にはスペイン人のキリスト教徒たちが入植目的で大挙して向かい、それから40年以上ずっと彼らが続けているのは「かつて人が見たことも、本で読んだこともなければ、話に聞いたこともない残虐きわまりない手口を新しく次々と考え出して、ひたすらインディオを斬りきざみ、殺害し、苦しめ、拷問し、破滅へと追いやることなのである」と述べ、その結果、ラス・カサスらが１５０２年に初めてエスパニョーラ島に上陸したときに島にいた約

バルトロメー・デ・ラス・カサス

フェリペ２世

３００万人のインディアンが、40年後には実に２００人しか生き残っていないほどで、ほかの島々での犠牲者を合わせるとその数は「１５００万を下らないであろう」と記します（ラス・カサス、染田秀藤訳『インディアスの破壊についての簡潔な報告』岩波文庫、改版２０１３年）。

　ラス・カサスの報告書には、スペイン人たちの個別具体的な残虐行為が、これでもかと記されています。インディアンの財宝と食料を奪い、夫を奴隷にして使いながら、その妻を自分の愛人として侍らせるなど、人として如何なものかの行為が日常茶飯事です。

　インディアンにとってスペイン人はいきなりやってきた、単なる侵略者です。

　昭和の日本が侵略国家だといわれても、あくまでもあれはseizure（占領）とかinvasion（侵入）であり、批判する側の論理を最大限採用してもaggression（挑発されない攻撃）であって「侵攻」です。決して「侵略」ではありません。漢字が表現する「侵略」、すなわち、残虐な「侵し掠《かす》め取る」とは、この時のスペイン人たちそのものです。

　アステカもインカも、敵を敵と認識していなかったのです。敵に親切にしたらすべてを奪われました。

コロンブスの所業をざっと見ただけでも、これだけ悪人で、明らかに単なる侵略者だとわかるにもかかわらず、なぜ、日本ではずっと偉人のように扱われてきたのでしょうか。謎としか言いようがありません。

ラス・カサスの『インディアスの破壊についての簡潔な報告』がスペインで印刷されたのは1552年です。日本がラス・カサスの著作を最初に入手したのがいつなのか正確にはわかりませんが、染田秀藤氏の翻訳で同書が出版されたのは1976年です。日本では遅くとも1976年以降はラス・カサスの著作をとおしてコロンブスを筆頭に、あとに続いたコンキスタドールがインディアンにどんな悪事を働いたのかは知られていたはずです。にもかかわらず、ずっと一貫してコロンブスを褒めたたえ、相も変わらず偉人として取り上げています。

アステカ、マヤ、インカの位置

百歩譲って、スペイン人自身がコロンブスを庇《かば》うのは、自国民だと思っているのだから仕方がないでしょう。しかし、日本人がコロンブスを尊敬する理由がよくわかりません。結局は、白人中心の歴史観を崇拝した愚か者しかいなかったとしか思えません。コロンブスの評価になぜそのようなバイアスがかかってしまったのか、ぜひとも原因を知りたいところです。

余談を1つ。「コロンブスの卵」は、「大陸発見など誰でもできる」とうそぶいた相手に、コロンブスが「では、この卵を立ててみよ」と迫ったところ誰もできず、コロンブスが卵の底にひびを入れて立ててみせたとする有名な話です。そこから、誰にでもできそうに思える事も、最初にやるのは難しい、を意味する慣用表現のように使われています。少なくとも日本では。しかし、このエピソード自体には創作説があり、何が元ネタなのかも複数の説があるようです。

勝手な地球割り、トルデシリャス条約

人でなしのコロンブスの後も、ヨーロッパ人が続々と海に乗り出していきます。ポルトガルのバスコ・ダ・ガマは1498年に現南アフリカ共和国の南西端、喜望峰を回ってインドに到達し、香辛料を大量に持ち帰りました。ポルトガルのマゼラン（ポルトガル語ではマガリャンイス）が、スペイン国王カルロス1世に、西回りで行けばポルトガルより安く香辛料が手に入ると持ちかけて、1519年にスペインの艦隊を率いて出港します。マゼラン自身が1521年に死去するも、翌1522年にはマゼランが率いていた艦隊が史上初の世界周航を達成しました。

西から行こうが東から行こうが、海の向こうに出ていくスペインとポルトガルのあいだに争いが起きるようになり、コロンブスの最初の航海後、対立が激しくなっていました。

そこに登場したのが、時のローマ教皇アレクサンデル6世です。生涯独身が義務付けられているはずのローマ教皇なのに、なぜか子供が何人もいた人です。子供の1人が、イタリアを統一しようとしたチェーザレ・ボルジアです。

アレクサンデル6世は1493年、紛争の調停のつもりで、「教皇子午線」なる分割線で勝手に地球を2分割し、そこから東はポルトガル領、西はスペイン領と決めてしまいました。

この裁定に不満をもったのが、ポルトガル国王ジョアン2世です。スペインボルジア家出身のアレクサンデル6世の決定がスペインに有利だったからです。

カルロス1世

バスコ・ダ・ガマ

マゼラン

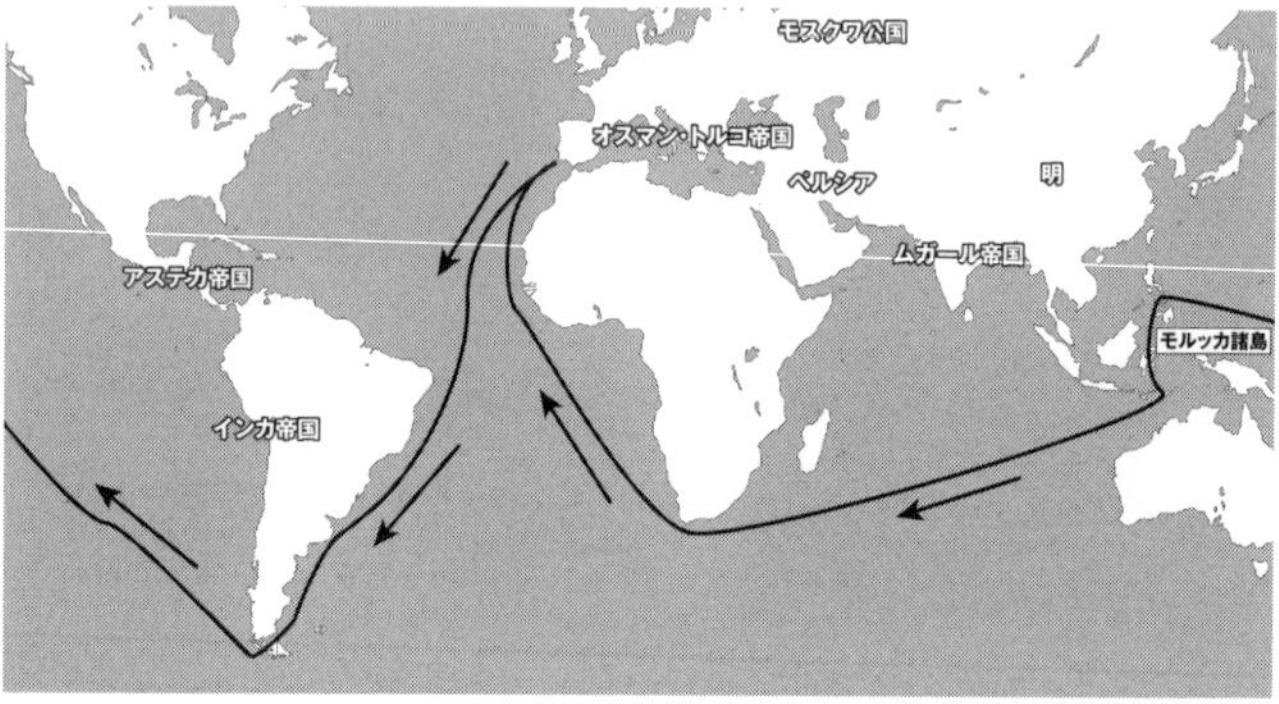

マゼラン艦隊の航路

そこで、ジョアン2世はローマ教皇抜きにスペインと交渉し、境界線を少し西にずらすのに成功します。これが1494年に成立したトルデシリャス条約です。

「地球割り」した境界線は、日本の岡山県を通る計算になります。しかし、日本はアフリカやアメリカのように割られることはありませんでした。

なぜか？　日本が強かったからです。戦国時代の日本は、インディアンのようなお人好しではありませんでした。

スペインとポルトガルの都合だけで勝手に決めたトルデシリャス条約など、日本ではまったく相手にされません。インドはポルトガルに貿易港のゴアを占拠され、侵略の端緒になりました。ポルトガルは明にも到達しますが、明はポルトガルをマカオに封じ込めます。日本が長崎の出島でやったのと同じく、居住地をマカオに制限し、壁で囲い、軍隊が見張っていました。だから、ポルトガルに侵略されなかったのです。

鉄砲の世界生産量の過半数に達した日本

そんなポルトガルが日本に最初にやってきたのが、１５４３年です。種子島に上陸し、鉄砲を伝えたのはよく知られています。鉄砲にまつわる話を少ししておきましょう。

種子島の領主種子島時堯《たねがしまときたか》は鉄砲２挺《ちょう》を大金で購入します。購入金額は「二千金」、「千タエルの銀」などの説がありますが、わかっていません。

時堯は鉄砲を国産化するために、家臣の篠川小四郎には火薬の、鍛冶工の八板金兵衛《やいたきんべえ》清定《きよさだ》には

アレクサンデル６世

ジョアン２世

チェーザレ・ボルジア

鉄砲の製法をそれぞれ研究させました。

金兵衛の手によって、鉄砲の外形は寸分たがわずできたのですが、どうしてもわからない箇所がありました。筒底のネジの構造でした。ネジなど見たこともなければ、聞いたこともない時代です。ネジができないと鉄砲が完成しません。

金兵衛はポルトガル人に教えを請います。娘の若狭《わかさ》を嫁にくれれば教えてやるといわれ金兵衛は苦悩します。父親の苦しむ姿に、若狭はポルトガル人に嫁ぐ覚悟を決めました。泣く泣く娘を差し出し、ネジの構造を教えてもらい、鉄砲が完成しました。国産鉄砲の最初です。

量産化にもこぎつけます。約半年後、600挺以上の鉄砲が存在し、さらに広まって1556年には日本全国で30万挺以上保有し、交易品に供されていたと伝えられます。日本は鉄砲を大量に生産し、世界の過半数を保有することになります。

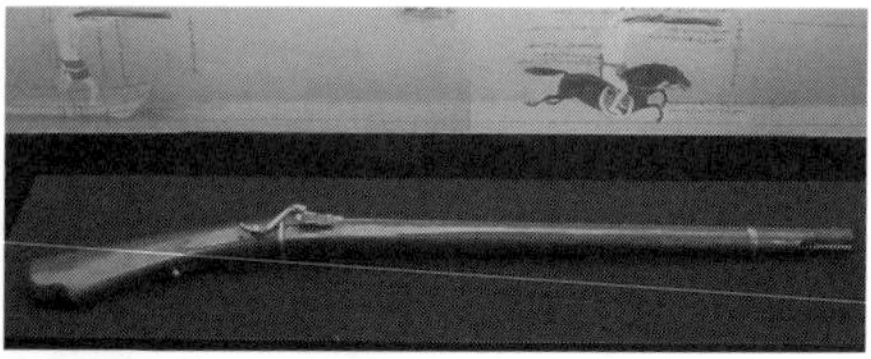
種子島鉄砲

ただし、鉄砲とはいっても当時は火縄銃です。弓の殺傷能力を超えたわけではありません。従来の弓のほうが、新しく出てきた鉄砲よりも殺傷能力が高く、実戦で使われるのは弓でした。鉄砲は1発撃った後、次の弾を撃てるようにするまでに時間がかかるなど、準備が大変でした。
では、鉄砲はどのように使われたのかといえば、もっぱら防御兵器です。また、鉄砲は弓に比べると訓練が簡単で、熟練せずともたやすく使えるので重宝されました。

鉄砲が種子島に伝わってから約６年後、今度はポルトガルからカトリックの宣教師が日本にやってきます。

イエズス会の世界征服計画

１５４９年、世界征服を企む悪の公然結社イエズス会の大幹部、フランシスコ・ザビエルがやってきました。

イエズス会は世界中をカトリックで埋め尽くそうと考え、しかも、有色人種を征服しようと企んでいました。

時のカトリックの大首領、ローマ教皇パウロ３世（在位１５３４〜１５４９年）に忠誠を誓うイグナチウス・ロヨラを首領とし、その他６人の大幹部が集まって結成されたのがイエズス会です。

ローマ教皇を大首領、ロヨラを首領と称したのは、当時のイエズス会は特撮ドラマ『仮面ライダー』に出てくる悪の秘密組織ショッカーと、やっていることがまったく同じだからです。

今でも学校の歴史で「以後よく広まるキリスト教」などと語呂合わせして、「１５４９年、キリスト教伝来」などと教えているようですが、これがまた大嘘です。

１５４９年に伝来したのはカトリックです。

キリスト教はそれよりはるか昔、天平８（７３６）年に日本に伝来しています。

それが証拠に『国史大辞典』の「景教《けいきょう》」の項に「景教徒は天平八年（七三六）に日本にも来たが、受容されなかった」と書いてあります。

フランシスコ・ザビエル

景教とは、キリスト教のネストリウス派を指す中国での名称です。ネストリウス派は三位一体を認めておらず、現代のキリスト教三大宗派である、カトリック、プロテスタント、オーソドクスの全てから異端認定され、同じキリスト教徒として認められていません。よって、三大宗派からすれば１５４９年に伝来した教えこそが「キリスト教」であるとなるわけです。巧妙なプロパガンダです。
三大宗派が共通して異端認定している、すなわち、キリスト教徒とは認めていない宗派はネストリウス派のほかにも、エホバの証人、モルモン教、統一教会、クリスチャン・サイエンスなどなど。ここに挙げたのはほんの一例です。
フランシスコ・ザビエルに話を戻しましょう。

日本の農民に論破されたザビエル

ザビエルの日本での布教は困難を重ね、成功には程遠いものでした。最初、日本人は仏教の新手の宗派がきたのかと勘違いします。ザビエルは布教し始めたころは、キリスト教の神を「大日」と呼び、仏僧から歓待すら受けています。

当時の日本人はザビエルの教えを聞いているうちに、キリスト教は仏教とはまったく違うと気づきました。キリスト教の天国と仏教の極楽では、何かが違うぞと。

キリスト教でも仏教でも、地獄は悪事をはたらいた人間が落ちる所で共通しています。しかし、天国と極楽は考え方が全然違うのです。

極楽は因果律の世界です。この世で良い事をしたという原因があって、極楽にいく結果が生じるとする、筋が通った考えです。日本人はキリスト教を因果律で理解しようとしていました。良い事をすれば当然、天国なる所にいけるだろうと。

ところが、ザビエルと話しているうちに、その〝良い事〟は神様を信じているのが絶対条件で、それが前提になっていると気づきます。そこで、疑問をザビエルにぶつけました。

「今、俺たちはお前に会ったから、神様を信じて天国にいけるだろうというのはわかった。でも、お前に会わず、神様を知らずに死んだうちのじいさんたちは皆、地獄にいるのか」と。

するとザビエルは「そうだ」と答えてしまいます。ザビエルの大失言でした。

ザビエルは日本人から「あんないい人が地獄にいくなんてあり得ない。お前は偽物だ、帰れ、帰れ」と言われてしまいます。

ザビエルは「日本人は世界で一番頭がいい、日本人を説得するために、一番頭がいい宣教師を送ってほしい」と、首領である神父のイグナチウス・ロヨラに手紙を送っています。（以上、『聖フランシスコ・ザビエル全書簡〈3〉』河野純徳訳、東洋文庫、1994年より）

ザビエルの大失言の弁解をするわけではありませんが、ザビエルは決していい加減に言ったわけではなかったのです。

キリスト教会には、天国と地獄のあいだに煉獄《れんごく》があるとの考え方があります。煉獄とは、いわば、天国行きの待合室です。生前にキリスト教の信仰を持たなかった人がいる場所で、子孫が改宗すれば天国にいけるとされます。子孫がキリスト教に改宗するまで、キリスト教に縁のなかったご先祖さまが留め置かれるところが煉獄です。

煉獄は、ダンテの『新曲』などにも描写されているのを見ても、地獄とどう違うのかわからないところです。

聖書のどこにも煉獄について書かれてはいません。それもそのはず、煉獄は5～6世紀ごろカトリックが聖書の福音書を解釈し、勝手に作った発明品だからです。

ザビエルが日本の農民に初手で論破されてしまうのは、頭が悪すぎます。逆に言えば、日本人がどれだけ頭が良かったか、なのですが。

ザビエルは京都に来て布教しようとしますが、これもまたうまくいきません。キリスト教が一神教であるがゆえに、ほかの宗教とケンカしてしまうのも日本人にはなじみがなく、キリスト教が広がらない原因の1つでした。

当時、室町幕府は力が衰えているところに法華一揆や一向一揆などに頭を抱えていて、新手のキリスト教なんて保護するヒマは到底ありません。来てほしくないのが正直なところです。法華宗や一向宗の宗徒たちも叩きのめしにくるので、カトリックは京都にも入り込めなかったのです。

イグナチウス・ロヨラ

煉獄の入り口
（画：ギュスターヴ・ドレ）

信長は特にカトリックを保護したわけではない

日本で唯一、本格的に入り込めたのが九州北部です。受け入れたのは大友義鎮《おおともよししげ》（宗麟《そうりん》の法号を持つ）、大村純忠《おおむらすみただ》、有馬晴信《ありまはるのぶ》の3人の大名です。

この「三バカトリオ」はカトリックに入信し、洗礼を受けてキリシタン大名と呼ばれるようになります。この三人はたいして勢力を持たなかったからよかったものの、その土地の大豪族を洗脳するのが当時のカトリックの手口です。日本とインディアンの違いは、本格的に洗脳されたのがこの三バカくらいしかいなかったことです。

なお、カトリックと同時期に、プロテスタントのネーデルラント（オランダ）やイングランド（イギリス）も日本にやってきていました。しかし、プロテスタントの彼らは布教をしません。なぜなら、プロテスタントは預定説だからです。預定説とは神様がこの世を造ったときに預め救う者を決めているとの説に立ち、ゆえに布教などは不要だと考えます。

所詮、有色人種は救われない人たちに決まっていると決めつけていました。カトリックよりも差別意識が強かったがために、キリスト教布教をめぐって、日本側と利害が一致しました。だから、日本はプロテスタントとは平和に付き合えたわけです。奇妙な結果でした。

日本をめぐっては、先行の大国ポルトガル、スペインに対して、新興大国ネーデルラントが追いかけていき、小国イングランドは排除される、そんな流れになりました。

戦国時代の末期になると、日本ではいよいよ室町幕府の力が衰え、時代は戦国時代に入っていきます。室町幕府最後の将軍となる足利義昭を追放し、京都で覇を唱えたのが織田信長です。その信長はカトリックを弾圧はしていません。かといって、たいして保護もしていません。より正確にいえば、一向一揆を弾圧するのに忙しすぎて、カトリックなど相手にしていないのです。信長は生涯にわたって仏教勢力と戦い続けました。

信長にとってキリスト教など眼中にありませんでしたし、実際に、信長の時代はカトリックの宣教師も、そこまで目立ちはしないので放置されたのが実態です。カトリックは織田信長の時代には弾圧されなかっただけでしたが、信長の死後、豊臣秀吉の天下になったときに状況が変わっていきました。

大友宗麟

有馬晴信

１５８２年、本能寺の変で信長が殺されます。代わって天下人となったのが秀吉です。同じ年の年末にイエズス会士ヴァリニャーノの発案で、九州の三バカトリオの名代として4人の少年がローマを訪れます。天《てん》正《しょう》遣欧《けんおう》少年使節です。伊東マンショ、千々石《ちぢわ》ミゲル、中浦ジュリアン、原マルティノがその4人です。

こういう人たちの名前は覚えなくてもいいのですが、なぜか高校の歴史の教科書に載っていて、覚えさせられた記憶がある人もいるでしょう。なぜ覚えなくてはいけないのか、意味がわかりません。彼らは別に何をしたわけでもない人たちですから。強いていえば、あの時代にローマ教皇に会いに行って、実際に教皇に会えた人たち。ただそれだけです。この時代、日本とローマは船で3年半かかります。しかし、4人とも受験生が覚えなければならない名前なのかというと、極めて疑問です。

織田信長

かつて、「進め!電波少年」という番組がありました。その名物企画が、タレントの松本明子や猿岩石が世界中を旅するというイベントです。ちなみに、松本明子はPLO（パレスチナ解放機構）のアラファト議長に突撃インタビューし、猿岩石という漫才師の男二人組はヒッチハイクをしながらユーラシア大陸を横断しました。天正遣欧少年使節は言ってみれば、タレントの松本明子や猿岩石のハシリです。そんな天正遣欧少年使節を教科書に載せるのは松本明子や猿岩石を教科書に載せるようなものです。

大学入試で三バカトリオの名代の4人の少年の名前を答えさせる問題が出たら、悪問と決めつけましょう。もちろん、上智大学のようなイエズス会が作った大学の入試問題なら別ですが、日本の運命に何の関係も無い人たちです。繰り返しますが、400年後の歴史教科書に松本明子や猿岩石を載せる、入試問題で猿岩石の本名を答えさせるのかという問題です。

天正遣欧少年使節

支倉常長

天正遣欧少年使節に限らず、覚える必要のない人が教科書に載せられているがために覚えさせられる、そんな悪循環が後を絶ちません。キリスト教絡みでもう一例挙げておくと、伊達政宗の命で慶長遣欧使節団を率いていった支倉常長も同じです。覚えさせられるけど、伊達政宗の人生にとってはどうでもいい人です。インターネットで調べると「アジア人として唯一無二のローマ貴族、及びフランシスコ派カトリック教徒となった」（Wikipedia）とありますが、それにどんな意味があったのか。大河ドラマ『独眼竜政宗』でも1話しか登場しない、ド〜でもいい人です。

九州三バカキリシタン大名がイエズス会に土地を寄進し、キリスト教の教えに反するとの理由で寺社を破壊しまくります。大村純忠などは自分がキリスト教の信仰に熱心なあまり、領民にもキリシタンへの改宗を強制する始末です。殿様がそんな調子なので、家臣も離反していきました。

秀吉は奴隷貿易をやめさせた

そして何より、豊臣秀吉を激怒させたのは、奴隷売買です。カトリックの連中はポルトガルの商人と一緒になって、日本人を奴隷として海外に売り飛ばしていたのです。当時のカトリックはマフィアです。

フランシスコ・ザビエルが来日した翌年の1550年ごろから、既にポルトガル人は日本人を奴隷として国外に送り出していたようです。

天正遣欧少年使節の面々がローマへ向かう途中のあちらこちらで日本人の奴隷を見ているのが記録されているほか、ポルトガル本国はもとより、ポルトガルが勢力を伸ばしていたところには

豊臣秀吉

日本人奴隷がいたと見られていますへ牧英正『日本法史における人身売買の研究』有斐閣、１９６１年）。
豊臣秀吉はそうした侵略の手口を知って、カトリックを追放します。秀吉が怒るのは当然です。見せしめにカトリック教徒26人を火炙りにしました。
国法を破って日本人を売り飛ばした奴隷商人ですから、この時代の価値観では死刑になって当然です。

問 1587年、あなたが、カトリックの侵略を知った豊臣秀吉だったらどうする？

史実では。

問答無用でカトリック全員追放し、日本人のカトリック信者を含めて26人を火炙りにして見せしめにしました。もし、秀吉がこれをやっていなければ、日本はフィリピンのようになっていました。

フィリピンはスペイン王フェリペ2世の名前が付けられた国です。母語であるタガログ語を奪われ、スペイン語、英語を押し付けられました。この時代、アジアで唯一、南米やアフリカのような悲惨な目に遭っている人たちです。

フィリピンはまだマシです。奴隷として生き残れたのですから。アステカやインカのように地球上から消されたら、もっと悲惨です。しかし、そんな状態で「どっちがマシか」などと議論する大人になってはいけません。

第2章の教訓

強く賢くなければいけない。いい人なだけではダメ。

第3章

ナポレオンが「鎖国」をこじあけた

問

1808年、あなたが、フェートン号事件が起きたときの将軍徳川家斉《いえなり》だったら、どうする？

史実では？

見なかったことにして、先送り。責任は現場にだけ押し付ける。自分は何もしないで、女遊びにふける。

経済と文化が絶好調で、たまたま戦争がなかったので、みんな満足していた。

士農工商などなかった

戦国乱世を統一した豊臣秀吉は、世界征服を企むカトリックの侵略から日本を守りました。その秀吉が亡くなってから、天下を治めたのは徳川家康です。家康が開いた江戸幕府は時間をかけて、少しずつ「鎖国」を進めていきます。ヨーロッパでは、最後の宗教戦争となる三十年戦争（１６１８〜１６４８年）が始まったころでした。

日本との通商貿易を求めてきたのは、ポルトガル、スペイン、オランダ、イギリスです。布教に力を入れたカトリックのポルトガル、スペインは追い出されます。プロテスタントのイギリスは日本から「来るな」と言われたわけではないのですが、オランダに蹴散らされて来なくなりました。

幕府から交易を許可されたオランダも、〝国立監獄〟と揶揄された長崎の出島に閉じ込められます。当時のオランダはスペインから独立し、ヨーロッパで最強国でした。そんなオランダさえも、世界最強の軍事力を持っていた日本には、言われるがままにするしかありませんでした。

徳川家康

ところで、最近、江戸時代に関する研究は急激に進展しています。その結果、過去に描かれていた江戸時代のイメージは大きく修正されています。

たとえば、江戸時代といえば身分制度、「士農工商」があったと思い込んでいるのではないでしょうか。「士農工商」という陰湿な身分制度があったと喧伝したのは、明治政府が江戸時代を過度に貶めるためだったとか。もちろん、全部が全部ウソだったわけではありませんが、自分たちの正統性を主張するために、前の時代の江戸幕府に関してあることないこと印象操作をしたのです。そもそも言葉の意味からして、「士農工商」は武士が一番上で、商人が一番下だとする身分制度を示しているのではありません。本来は「老若男女」と同じで「色んな人」くらいの意味です。そもそも、「士農工商」の表現では説明がつかない事実が多すぎるのです。「士農工商」の枠組みに入らない人たちが大勢います。

たとえば、公家です。公家は「士農工商」のどこにも入りません。本来は武士より偉いはずですが、公家にも上下があります。上は摂政関白太政大臣、下は貧乏公家まで。この人たちを一括りにできるのか。しかも、「士」の頂点にいる大名は、実は公家でもあります。大名は全員が朝廷から官位を貰いますから、公家です。ただ、大名として正式に国主になれば公家にもなるのですが、それ以外の弟などは公家にはなれません。どんな実力者でも、無位無官の武士であって、公家ではありません。

公家も武士も、上から下までいるので、一括りにはできません。

下級武士の身分には、旗本株や御家人株を買えば誰でもなれました。なれるからといって、貧乏な武士になったところで何も意味がなく、誰もなろうとはしません。それでも、なかには、勝海舟の父のように御家人株を買い、あるいは、坂本龍馬の家のように豪商から郷士（下層の武士）に取り立てられ、武士になる人たちもいました。

一口に農民といっても、いろいろあります。農民の金持ちが地主であり、自作農がいて、小作するプロレタリアートがいます。プロレタリアートというのは、働いても働いても生活が楽にならない肉体労働者の事です。商人にも金持ちの豪商もいれば、貧乏人もいます。職人もさまざまで、金持ちの職人は商人を兼ねている場合もあります。また、医者や神主などを生業とする人たちのように、職人に入るのか、あるいは、士農工商のどこにも入らないといった人たちもいるわけです。能役者や歌舞伎役者や旅芸人は今で言う芸能人ですが、彼らはどこにも入りません。

ざっと見ただけでも、公務員である武士とそれ以外、つまり「士と農工商」のようにとらえるほうが、まだ実態に近いかもしれません。

地位と権力と財力が一致しないのが江戸時代です。江戸時代どころか、今の日本も事情は同じです。江戸時代の方が、世襲制がより強いだけです。選挙で2世・3世が政治家を世襲する現代日本はさながら、「選挙がある江戸時代」です。

身分制度がいい加減なら、江戸時代をとらえる「貧農史観」も大嘘です。その一例が慶安御触書《けいあんのおふれがき》です。

慶安2（1649）年、第3代将軍家光のときに出されたとされる「慶安御触書」は、これまで、農民支配を強化するために出されたとか、農民に対する締め付けがいかに過酷だったかを示す証拠のように伝えられてきました。

徳川家光

しかし、拘束力を伴う法令として出されてはいないとの説が有力です。単なる法案要綱のようなものだったとか。仮に法令として出されていても、農民の努力目標にすぎなかったとも言われています。

「鎖国」を選択した意味を考える

江戸時代の日本は日本史上最高の文化大国であり、経済的にも極めて豊かな時代でした。ただし、国内に産出する金銀銅が海外に流出していき、資源大国ではなくなっていく時期でもありました。「鎖国」していても、そんな状態でした。

　では、江戸時代に行われた「鎖国」とは、どのような状態だったのでしょうか。

完全に国境を封鎖し、国を閉ざしていたわけではありません。年間に受け入れていたのは、清国船30隻、オランダ船2隻だけだったので、貿易を制限していたのは確かです。

　江戸時代初期の日本は、金銀銅を多く産出する国でした。限られた国と限られた取引をしていただけでも、日本から金銀銅が流出していきます。

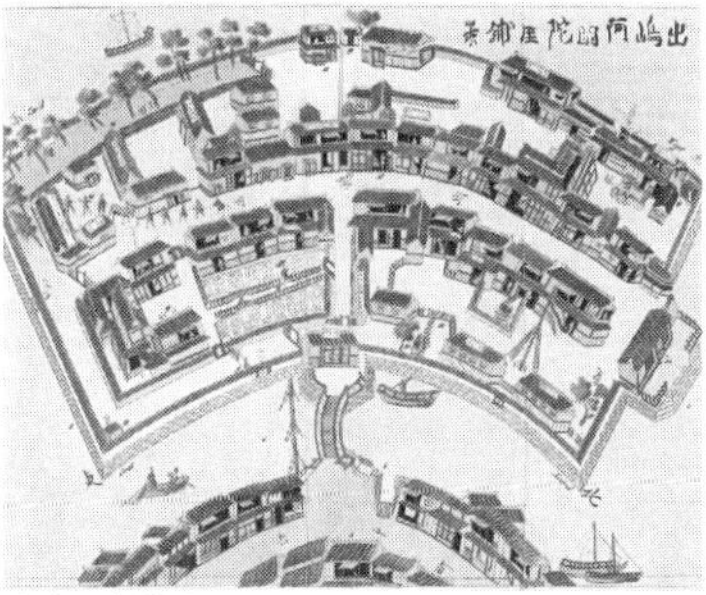

出島の鳥瞰図

長崎出島、和蘭商館跡　© ピクスタ

　日本の銀市場がスウェーデンの相場を動かし、日本の銅がヨーロッパの銅価格に影響していた事実から、江戸時代においてもグローバル化はしていたのです。

　完全に国を閉鎖する意味での「鎖国」はできないのとともに、グローバル化も歴史の必然なのです。

　コロンブスらが世界中に飛び出していって、地球を一周した時点でグローバル化は避けられません。

　ちなみに、グローバル化の定訳は「全

球化」です。あまり使われない言葉ですが、「地球全体を一つにつなげる」との意味を表しています。チンギス・ハーンの「世界史」はユーラシア大陸が対象でしたが、大航海時代以降は地球全土が対象です。

日本には、1543年にポルトガル人を上陸させた時に、グローバル化の波が押し寄せました。しかし、植民地にされ奴隷にされたアフリカやアメリカに比べれば、さざ波程度です。

日本はグローバル化に巻き込まれている面と、グローバル化に入っていない面の両方がありま す。では、どちらが強いかと言えば、明らかに江戸幕府はグローバル化に巻き込まれるのを拒否しました。

「鎖国」下の日本で長崎の出島だけではなく、ほかにも外に向けて開いていた場所があるのを、最近は「四つの口」というようになりました。

四つの口とは、長崎、薩摩、対馬、松前を指します。長崎はオランダと清、薩摩は琉球、対馬は朝鮮、松前はアイヌとそれぞれが独占的に交易していた事実から「四つの口」と称するわけです。オランダと清は主権国家で、朝鮮は清の属国です。琉球とアイヌは日本の一部ですが、なぜか大清帝国と同列に扱われているところに疑問があります。

琉球とアイヌは日本の一部です。琉球やアイヌが、ヤマト民族とは異なる独自の民族だと主張する人がいます。それは、エスニックとして琉球やアイヌに独自な面があるのを指摘しているだけであって、異なるネイションではありません。

エスニックとネイションの違いは、主権国家を持つ意思と能力の有無です。それを持つ者がネイションであり、それを持たない者がエスニックです。いかなる意味でも、琉球やアイヌは日本と異なるネイションではありませんでした。なぜなら、主権国家を持つ意思も能力もなかったからです。

そうした文化的な違いだけを指してエスニックの意味での民族の違いを言うのは勝手です。

しかし、それを言い出せば、関東人と関西人も違いますし、一つの県をとってもいくつもの文化圏に分かれるところなど枚挙にいとまがないほどです。

文化的な違いを言い出せば、究極的には個人個人で違うのですから。

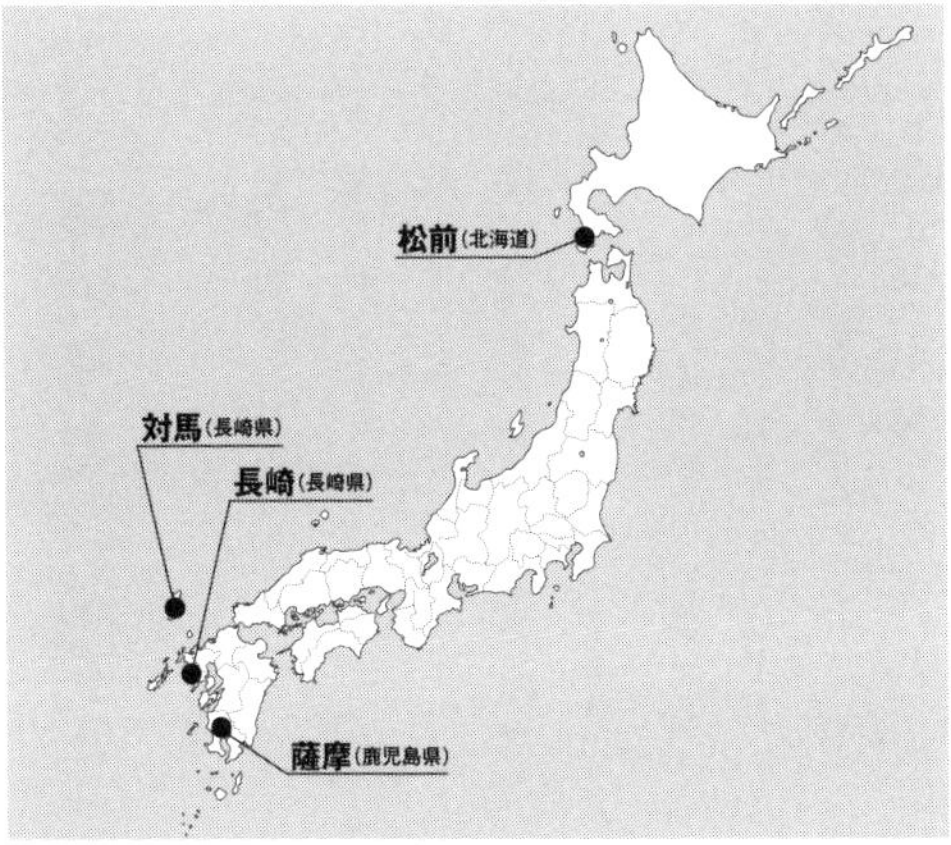

四つの口とは、長崎、薩摩、対馬、松前

三十年戦争と台頭するロシア人

江戸幕府が行った「鎖国」とは要するに、貿易統制です。日本は「鎖国」によってグローバル化を明確に拒否し、ヨーロッパの三十年戦争（1618〜1648年）にも巻き込まれずに済みました。

その間、ヨーロッパは世界中に飛び出していき、アメリカやインドを併合していきました。三十年戦争も終わり、主にイギリスとフランスが世界中で植民地を奪い合いながら、ヨーロッパで覇を競い、そしていつの間にか、ヨーロッパ諸国が世界最強になっていました。その象徴的な事件が、七年戦争（1756〜1763年）最中の1762年のマニラ陥落です。イギリスがスペインの植民地フィリピンのマニラを占領したのです。

七年戦争はプロイセンのフリードリヒ大王が墺仏露の三大国を敵に回し、戦いが始まりました。ヨーロッパが戦っているあいだに、イギリスがインドとアメリカでフランスの植民地だった地域の大部分を奪い取り、一人勝ちします。それまでのヨーロッパ半島だけでの戦争が、世界戦争になった戦いです。

そして、イギリス、フランス、ロシア、オーストリア、プロイセンが、ヨーロッパの五大国になった戦いでもありました。ただし、オスマン・トルコ、ペルシャ、ムガール、清というアジアの帝国も、まだまだ強大ですが。

五大国の戦いがマニラにまで迫り、その時点で本当は、日本は「鎖国」できない時代を迎えていたのです。運が悪ければ、マニラのように占領されていたかもしれません。しかし、やはり日本がヨーロッパから遠かったのが幸いしました。

ヨーロッパ半島での動きに気を取られるあまり、見落としてはいけないのが、ロシアです。ロシアはかなり早くからシベリアまでやってきていたのです。

三十年戦争時の虐殺

フリードリヒ大王

イヴァン雷帝（在位１５３３～１５８４年）の時代にはすでにシベリアに進出し始め、ヨーロッパが三十年戦争に明け暮れているときに、早くも太平洋岸にまで達していました。

シベリアは無人の荒野、無主の地

でした。北のほうで、たまに金が出たりもしたようですが、使える土地などほとんどなく、流刑地ぐらいにしか使えない場所ばかりでした。ロシアのシベリア進出など、ヨーロッパ人は誰も気にしていませんでした。

人間は野蛮な生き物ですから、無関心でいると、弱い者を征服して生きていくロシア人のような輩が出てくるわけです。

ちなみに、この頃はモスクワ帝国を名乗っていて、ロシア帝国を名乗るのは1721年からです。

田沼意次を貶《おとし》めた松平定信のプロパガンダ

では、五大国が日本にまで迫ろうとする間、日本は何をしていたのでしょうか。

「鎖国」の完成後、日本は文化大国、経済的繁栄を謳歌し、天下泰平をむさぼります。世界最強の軍事国家は軍備を放棄し、半島の中で殺し合いを続けるに飽き足らず世界中に飛び出していったヨーロッパの軍事拡大に、ついていく意志さえ放棄していました。

そうした中、世界に目を向けた例外的な動きもありました。

1720年、第8代将軍徳川吉宗が行った漢訳洋書輸入緩和です。キリスト教関係以外の書物は輸入してもよいことになりました。とはいうものの、ヨーロッパの本で、キリスト教に関して書いていない本などほとんどありません。

そうした本が日本に入ってくるようになると、世界の情勢もわかってきました。吉宗の治世は享保の改革と称されるように、あれこれと改革が試みられた時代でした。

続く吉宗の長男、第9代将軍徳川家重《いえしげ》の時代（1745〜1760年）は、谷間の時代でした。家重は小便公方（オネショ将軍）とあだ名がつくほど頻尿で有名でした。言語障害もあったとされます。無能を理由に、ときの老中が家重を廃嫡しようとしたくらいでした。

しかし、家重は田沼意次《たぬまおきつぐ》の抜擢を指示するぐらいですから、人を見る目はあり、頭はしっかりしていたようです。

七年戦争の影響でスペイン領マニラがイギリスに取られたのは、家重の息子の第10代徳川家治《いえはる》の時代（1760〜1786年）でした。これを幕府は意識しませんでした。そもそも江戸幕府は海外情勢など認識している様子はありません。長崎のオランダ商館長が提出する海外情勢

徳川吉宗

徳川家重

報告書『阿蘭陀風説書《おらんだふうせつがき》』によって海外はどのような状況なのかは知っているはずなのですが、何ら動きを起こしませんでした。

時の老中首座は松平武元《まつだいらたけちか》。「西丸の爺や」と呼ばれたこの人は、何かをしたという記録がほとんどない人です。後世、この人の研究をしている人が1人もいないぐらい、何もしていない人です。冠婚葬祭の采配に忙しく、国際情勢など見るはずがなかったのです。

1767年、父・家重の遺言で、家治は田沼意次を側用人《そばようにん》に取り立てました。

田沼意次

田沼意次は長らく「日本史の三大悪人」の1人とされてきました。20世紀末にようやく、大石慎三郎先生が名誉回復を図りました。これも江戸時代研究の進展がもたらした成果の1つです。実際、田沼の時代の経済は絶好調でした。文化も栄えます。

意次は開明的な人物で、今では「資本主義を用意した最初の日本人」と評されています。経済に道徳を持ち込む江戸時代の人は、「儲けることは卑しいことだ」との固定観念に憑りつかれています。「経済を振興させてこそ国力が上がる」と考える田沼は嫌われました。田沼は「鎖国」をやめて自由貿易により国を富ませようとしたほどです。貿易で儲けた金で軍事力を強化し、ロシアに備えようとしたのです。既得権益の打破を実行し始めた意次が嫌われるのは、当然の帰結でした。「成り上がりものに御先祖様以来の法を曲げられてたまるか」と、門閥貴族化した徳川一族とそれに群がる既得権益層が結束したのです。その利益代表が松平定信です。

田沼意次は既得権益を打破しようとした成り上がりです。それだけに、まわりからの風当たりが強く、「賄賂政治家」とレッテル貼りされます。このレッテル貼りは、田沼意次失脚後に寛政の改革を行った白河藩主松平定信《まつだいらさだのぶ》のプロパガンダです。この松平定信こそ真の悪人で、尊王家のフリをするだけよけいに質《たち》が悪い見本のような人です。田沼意次がやり始めた画期的な事の数々を、松平定信が潰してしまいます。

家治が死去し、田沼意次は失脚します。改革しようとした田沼のやり方は通らず、もとの引きこもり路線、漫然と天下泰平を謳歌する路線に戻っていきました。

松平定信

１７８７年、家治のあと将軍職に就いたのが、15歳の徳川家斉です。松平定信が老中首座、そして将軍補佐になり、始めたのが寛政の改革です。以後6年間が、松平定信による暗黒時代です。

松平定信が行った政策を、大石慎三郎先生は「元祖ポルポトともいうべき政策」と評しています（大石慎三郎『将軍と側用人の政治』講談社現代新書、１９９５年）。そこで槍玉にあげられているのが、「寛政異学の禁」「文化に対する弾圧」「棄捐令」です。

寛政異学の禁とは、官学の朱子学以外を禁じる命令です。文化に対する弾圧では、浮世絵や好色本を発禁にしました。棄捐令は、武士が商人にした借金を棒引きにさせる命令です。

さらに、飢饉で苦しむ民衆を放置していました。頼るものが無い民衆は、京都の天皇陛下にすがる「御所千度参り」を行いました。京都の御所に民衆が毎日詰めかけ、「天皇陛下助けてください」とひたすら拝んでいたのです。見るに見かねた光格天皇が幕府に警告したのですが、あやうく「天皇が政治に口を出すんじゃねえよ！」と定信が逆切れするところでした。

徳川家斉

このように、定信は他にも色々と失政をやっています。定信はさすがに庶民に対する虐殺や拷問をやっていないので「元祖ポルポト」は言い過ぎでしょうが、大石先生がおっしゃりたいことはわかります。

ちなみにポルポトとは、カンボジアの独裁者であらゆる文化を破壊し、国民の4分の1を虐殺しました。「勉強なんかすると人を不幸にするから、本はすべて焼く」「眼鏡をかけている奴は勉強ばかりしているに違いないから死刑」「美人は人の心を惑わすから死刑」という調子で、国民を殺しまわりました。松平定信は、さすがにそこまではやっていません。日本人で良かったとつくづく思います。

寛政の改革の3年目の1789年にヨーロッパではフランス革命が勃発し、ナポレオン戦争に突入します。この大戦争に日本も巻き込まれることになります。何の国防努力もしていなかった日本は、どうなったのでしょうか。

結論から言うと、いまだに日本人はナポレオン戦争に巻き込まれたことに気付いていません。当時の人が気付くはずがありません。

フランス革命とナポレオン・ボナパルト

ヨーロッパを揺るがし、日本の「鎖国」をこじあけるナポレオンとはどのような人物なのでしょうか。

1769年、ナポレオン・ボナパルトはコルシカ島に生まれます。コルシカ島がジェノバからフランスの手に渡ってから、たった3か月後のことでした。今もコルシカ島はフランス領ですが、文化的にはイタリアです。ナポレオンの母語もイタリア語でした。

ナポレオン・ボナパルト

愛馬マレンゴにまたがるナポレオン

ナポレオンは貧乏貴族の子沢山の家に生まれ、12人の子供（早逝がいるので実質8人）の4番目でした。
　9歳になったとき、フランス本国に渡り神学校に入学しますが、すぐに陸軍幼年学校に移ります。しかし、コルシカ色の濃いフランス語だったのでいじめられ、友だちはほとんどいませんでした。若いころに自分の話す言葉にコンプレックスを植え付けられました。数学の成績は良かったと伝えられますが、学校の勉強はせず、哲学と戦史の本ばかり読んでいました。
　学校時代のナポレオンの有名な逸話の1つに、雪合戦があります。雪合戦をやったとき、ナポレオンが入った側が、彼の作戦と指示によって常に勝利したとされる話です。部隊を半分に分け、前線の部隊は防御に徹する。後方の部隊は雪を丸め、弾を作る。そして弾ができるまで持ちこたえ、そこから一気に反撃して大勝利、という話です。これ、前半で持ちこたえられなかったら大敗する作戦なのですが、本当だったのでしょうか。できすぎた話なので、ナポレオンの天才的な軍事的センスを強調するための創作であるとも言われます、もっとも凡人がやったら失敗するこ

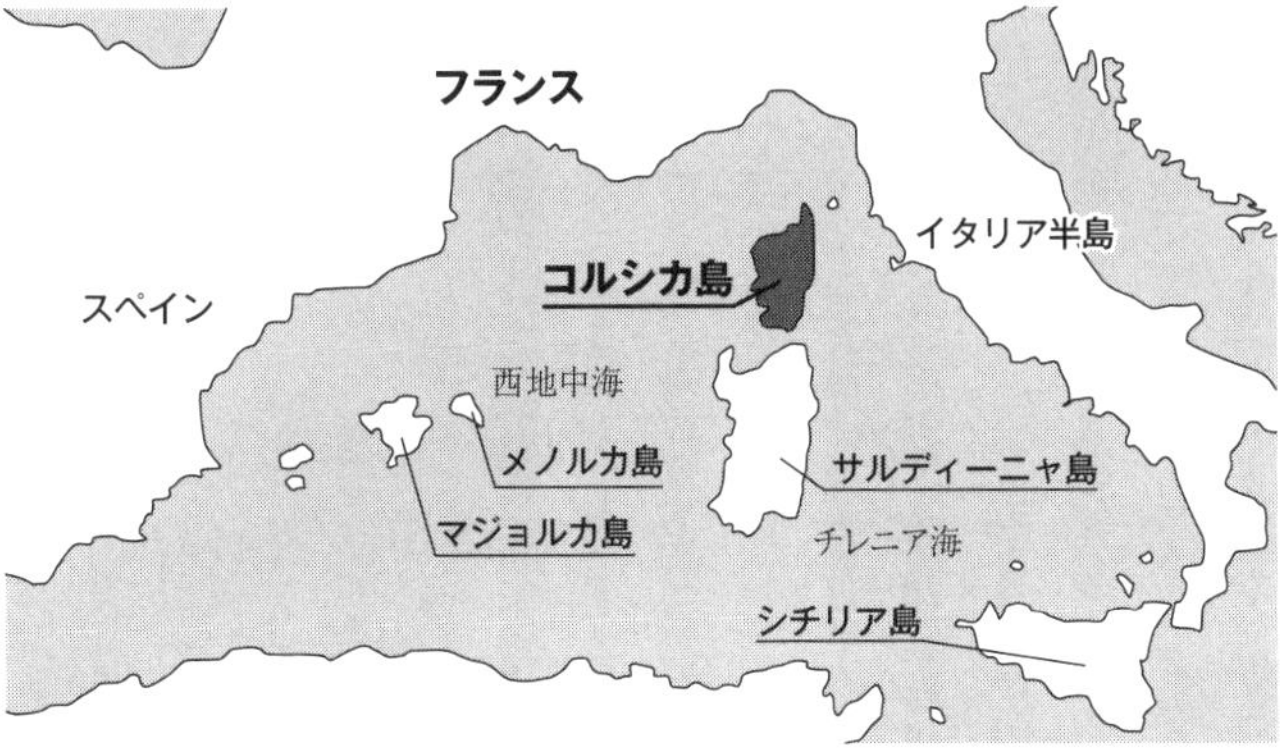

コルシカ島とフランスの位置関係

とができるからこそ天才なので、絶対に無かったとも言えませんが。

1784年、ナポレオンは士官学校に入学し、通常4年はかかるところを1年未満で卒業します。いわゆる「飛び級」です。成績は58人中42位でした。翌1785年、砲兵士官となります。

1789年フランス革命が勃発し、1793年1月にフランス国王ルイ16世が処刑されます。激動の時代の到来です。

その3月、フランス革命が拡大されるのを防ぐために、イギリスの首相ウイリアム・ピット（小ピット）が提唱して、第1回対仏大同盟が成立しました。

ウィリアム・ピット（小ピット）

彼が「小ピット」と呼ばれるのは、ピットの父親が同姓同名のウイリアム・ピット英国首相なので、2人を区別するためです。父親のほうは「大ピット」です。大ピットは七年戦争の指導者で、イギリスを世界最強の国に押し上げた政治家です。誰もが大ピットを総理大臣だと信じて疑いませんでしたが、彼は単なる平の大臣で、戦争中にその大臣をクビになって野党で政府の悪口を言っているだけの時期すらありますが、イギリス人も外国人も大ピットが七年戦争の最高指導者だと信じて疑いませんでした。

ウィリアム・ピット（大ピット）

小ピットは、大ピットの次男で、ナポレオンの宿敵となります。

皇帝にまでのし上がったナポレオン

若い頃のナポレオンはジャン・ジャック・ルソーを崇拝しロベスピエールに傾倒していました。そもそもがイタリア人で、フランスでは差別されているのです。ブルボン王朝に忠誠を誓うはずがありません。フランスどころか、この世の秩序の破壊を説く、ルソーに魅かれたのも頷けます。

そのルソーの理想を実現したのが、ロベスピエールです。ロベスピエールはフランスの伝統秩序を次々と破壊していきました。この時代の発明品がギロチンです。「前時代は貴族だけが拷問を受けずに楽に死ねる特権があったが、これからはギロチンで一瞬にして苦しまずに死ねる。貴族も平民も差別は無い」などと、真顔で推奨するのがフランス革命で、その頭目がロベスピエールです。

ロベスピエール

ジャン・ジャック・ルソー

若気の至りとしか言いようがないのですが、ナポレオンは革命の中でロベスピエールに取り立てられて台頭していきます。

24歳で少将になるのですが、１７９４年にロベスピエールが失脚したときに、ロベスピエール派として逮捕され、予備役にされてしまいました。

その後、俗物悪徳政治家ポール・バラスに取り立てられ、バラスにくっついていき、再び出世の道を歩みます。ナポレオンは婚約を破棄し、バラスの愛人だったジョセフィーヌをもらい受けて結婚しました。

ポール・バラス

1796年バラスのもとで、イタリア方面軍司令官に抜擢され、イタリア遠征に赴きます。意表をつくアルプス越えで、3倍の数の敵を撃破します。ナポレオンの得意戦法は、「3倍の速さで動けば3倍の敵を撃破する」です。言うは易く行うは難しですが、そこは天才ナポレオンです。

その頃のヨーロッパの兵隊は、王様が金で雇った傭兵です。忠誠心ゼロです。それに対してナポレオンは、革命に立ち上がったフランス国民兵を使いました。フランスを奪われたら帰る場所が無くなります。必死に戦います。

さらに、当時の戦い方は密集体系が基本でした。傭兵が逃げないように、軍楽隊が鳴らす太鼓の音に合わせて密集して行進します。この作戦の弱点は、大砲の弾が飛んで来たら逃げられないことです。当然、飛んでこない位置を陣取るのですが、いったん飛んで来ても密集しているので身動きが取れません。

ナポレオンは、兵を散らす訓練を徹底しました。散っても戻ってきます。最速で指示した場所に戻ってくるように訓練したのです。そうすれば、大砲の弾が飛んで来ても逃げられます。何より早く動けます。単純に言うと、素早く散って戻ってくる動きを訓練しているうちに、敵の三倍の速度で動けるようになったのです。自分を包囲している敵を各個に撃破すれば、三倍の敵も撃破できる。言うは易く、行うは難しを実践しました。

ネルソン提督

ナポレオンは連戦連勝、ピットの作った対仏包囲網を徹底的に撃退しました。戦場では敵の軍隊を次々と撃破し、勝利を拡大することで敵の国そのものを占領する。ナポレオンはフランス救国の英雄となります。

１７９８年、ナポレオンはイギリスのインド支配を妨害するために、エジプト遠征に乗り出します。しかし、エジプトは占領したのですが、ネルソン提督率いるイギリス艦隊に敗れ、フランス艦隊はエジプトから本国に戻れません。

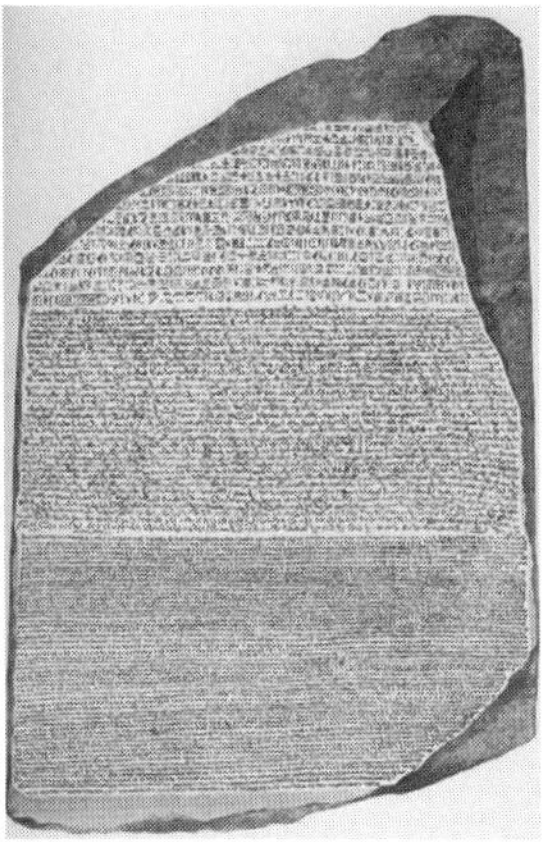
ロゼッタストーン

そのような状況下で、またしてもイギリスのピット首相の提案で、対仏同盟が結成されました。一進一退です。

ところで、ナポレオンのエジプト遠征のときに発見されたのが、ロゼッタストーンです。

エジプトのアレキサンドリア郊外のヨーロッパ人にロゼッタと呼ばれた場所で、何やら絵文字のようなも

シャンポリオン

のが刻まれた石が見つかったのです。多くの人たちが解読に挑戦しました。ある者は世界中の文字体系と比較し、またある者は表意文字である中国語と対照させて解読しようとしました。しかし、その試みのほとんどは的外れでした。

１８２２年9月14日、フランスの考古学者にして言語学者のシャンポリオンがロゼッタストーンを手掛かりに古代エジプト文字・ヒエログリフの解読に成功しました。ロゼッタストーンが発見されてから20年以上が経っていました。ちなみに、ロゼッタストーンは１８０１年、アレキサンドリアでフランス軍がイギリス軍に降伏した際にイギリスの手にわたり、今でも大英博物館が所蔵しています。

さて、フランス国内はバラスの総裁政府が安定せず、政情不安です。ナポレオンは側近だけを引き連れてフランスに舞い戻ります。フランスに戻ったナポレオンは、ブリュメールのクーデターで総裁政府を倒し、統領政府を樹立。自ら第一統領に就任しました。ブリュメールのクーデターはフランス革命を終わらせ、ナポレオンの独裁の始まりとなった出来事です。

１８０４年に、民衆から人気のあったナポレオンは国民投票でフランス皇帝に就任します。ナポレオン1世の誕生です。

これに怒った人もいます。

交響曲第3番変ホ長調〈英雄〉といえば、ベートーヴェンの作曲です。ナポレオンを尊敬し、心酔していたベートーヴェンは、この交響曲をナポレオンに献呈しようとしていました。しかし、ナポレオンが共和主義を捨て、皇帝に就任したのを聞いて曲のタイトルページを破り、激しく床に叩きつけます。「英雄」と名付けられた曲のタイトルページには、「ボナパルトに献呈された」という語が激しく消された跡が残っていました（バリー・クーパー監修『ベートーヴェン大辞典』平凡社、1997年）。

ブリュメールのクーデター

ベートーヴェン

翌1805年8月、ナポレオンの皇帝就任に対して、またもやピットが対仏大同盟を結成します。

小ピットのやり口は、カネだけ出して血は流さないのが基本です。しかし、そうも言っていられなくなると、海軍は出すけれども、陸軍はほとんど送らないやり方に変わります。それでも「ピット氏の黄金」と言われる買収によってひたすら同盟を維持するのですが、ヨーロッパの陸軍はナポレオンに連戦連敗、ピットは同盟軍が敗れてもまた同盟再構築を繰り返します。

さて、同年の10月、ナポレオンはイギリスに上陸しようとしますが、トラファルガーの海戦でネルソン提督率いるイギリス艦隊に完敗します。ナポレオンのイギリス上陸は阻まれました。

トラファルガーの海戦では、まだ船と船が体当たりして敵船に乗り込んでいく戦い方でした。船どうしが体当たりをしなくなった最初の戦いは日清戦争です（第6章参照）。

トラファルガーの海戦で勝利したとはいえ、イギリスも痛手を受けました。ナポレオンを海戦で苦しめたネルソン提督が狙撃され落命したのです。

トラファルガーの海戦

そんな1805年12月に迎えたのがアウステルリッツの戦いです。フランス皇帝ナポレオン1世、ロシア皇帝アレクサンドル1世、神聖ローマ皇帝フランツ2世（のち、オーストリア皇帝フランツ1世）の3人の皇帝が会したので、「三帝会戦」とも呼ばれます。ナポレオンは、露墺連合軍を粉砕しました。東から攻めてくるのか西から攻めてくるのかわからない進撃速度のナポレオンに、ヨーロッパ各国はなすすべがありませんでした。

衝撃を受けたのはイギリス首相ピットです。アウステルリッツで露墺が負けたと聞いて、ヨーロッパ大陸の地図を「丸めて捨ててしまえ。今後10年使う機会はない」と叫んだと言われます。

ちなみに、パリの凱旋門はこのときのナポレオンの勝利を記念して建てられました。

「陸」はナポレオンが全戦全勝です。しかし、「海」と「経済」はイギリスが握ったままです。

１８０６年、小ピットが亡くなります。小ピットはナポレオンより早くこの世を去りました。

まだまだ勢いに乗るナポレオンは神聖ローマ帝国をお取り潰しにし、神聖ローマ皇帝フランツ２世をオーストリア皇帝フランツ１世と名乗らせます。

アウステルリッツの戦い

パリの凱旋門

ベルリンに入城

さらに、イエナの戦いでプロイセン軍を破り、ベルリンに入城したかと思うと、大陸封鎖令を出します。皇帝ナポレオンがベルリンで出したのでベルリン勅令ともいわれます。ヨーロッパ各国にイギリスとの貿易を禁止し、経済封鎖でイギリスを降伏させようと出しました。

しかし、当時のイギリスは最初の産業革命を経て、経済先進国まっしぐら。イギリスとの貿易を止めてしまえば、困るのはフランスをはじめ、ヨーロッパ大陸各国のほうでした。ナポレオンがいくらイギリスの経済を封鎖したつもりでも、フランスは逆経済封鎖を食らう羽目に陥ります。いつ果てるともわからない死闘が続きます。

平和ボケの象徴、フェートン号事件の無為無策

ヨーロッパにおけるイギリスとフランスのそんな状況が、日本にまで波及したのが1808年に長崎で起きたフェートン号事件です。

1808年8月、イギリス船フェートン号が本国の命令によって、フランスの手下のオランダ船を拿捕するために、オランダの国旗を掲げ長崎港に乱入します。船長は長崎のオランダ商館の2人を人質にとり、薪と水を寄越せとの要求を突き付けてきました。そのとき、長崎警護の当番で駐屯しているはずの肥前（佐賀）藩の兵はほとんどおらず、日本側はなすすべなしです。フェートン号はやりたい放題をやって、薪と水を巻き上げて悠々帰国していきました。

平和ボケ日本は、幕府の誰もが責任をとらず、現場の責任者だった奉行の松平図書守康英《まつだいらずしょのかみやすひで》だけが切腹させられました。

当時は平和ボケしていても、外国に恥辱を加えられたら死んでお詫びをするという建前がありました。康英にしても、仮に佐賀藩兵がいたとしても、最新鋭の大英帝国の軍艦相手に何ができたかわかりません。海軍国のオランダだって、イギリス海軍にかかったら逃げ回るしかないのですから。ちなみに、この頃のイギリス海軍がどれほど狂暴か。「勝てばピットが正当化してくれる」と、世界中で略奪を働いていました。実際、ほとんど無敵です。

フェートン号

そんな相手に何ができたかわかりませんが、康英としては死んでお詫びをするしかないという心境だったのです。

ただし、その後も幕府は何事もなかったように、国防体制など何も考えません。七年戦争でマニラが陥落したとき、危機感をもって準備していたらどうなったか。あるいは、田沼意次政権が存続し、改革がなされていたら、フェートン号事件は起きなかったかもしれません。松平康英のように責任を感じる人もいれば、他人に責任を押し付けて何もしない人もいました。そして後者が圧倒的多数でした。

フェートン号事件のあと、徳川幕府は50年も続いたのですが、よく長続きしました。西洋の侵略が本格的だったら、ひとたまりも無かったでしょう。

フェートン号事件の責任を取らなかった最大の責任者は、第11代将軍徳川家斉です。

そもそも、征夷大将軍とはどういう意味でしょうか。夷、すなわち外敵を征討する最高司令官です。ところが、2代将軍徳川秀忠が大坂の陣（1614～1615年）に出陣したのを最後に、将軍親征は一度もありません。将軍とは、徳川家が世襲する単なる最高権力者の地位になります。そして何人かの例外を除き、実際の政治も家臣たちに任せ、将軍が行わなくなります。

責任を取りもしなければ、以後も何もしない家斉は、1人の人間が長く権力を握りすぎると腐敗する典型例です。

家斉は側室を侍らせ、オットセイのようにその生涯を子作りだけに捧げました。側室とは第二夫人以下の女性ですが、その正式な側室だけで16人。子女も57人。老中たちは、子女たちの婿入り先、嫁入り先探しが第一の仕事になります。家斉にとって政治とは、己の権力を維持することです。女の人に子供を産ませ、成長した子供を大名に養子や妻として送り込むことが、己の権力を維持する最良の手段だったのです。家斉の頭には、世界情勢などありません。フェートン号事件にしても、「遠い長崎で変な外人が来たな」くらいにしか思っていないのです。

家斉はフェートン号事件の時点ですでに30年、その後も含めてトータルで50年も、権力の座にいました。最後の4年は将軍を引退し、大御所としてすごしますが老害としてあらゆる改革を阻止します。

家斉には敵がいませんでした。贅沢をするので富は民間に回り経済は絶好調、文化的にも文化・文政の絢爛豪華な時代でした。ただし、国防努力だけは一切しない時代でした。

普通ならとっくに滅びています。日本は、かつてのアステカやインカのような運命を歩んでいてもおかしくありませんでした。あるいは、既に侵食されていたフィリピンやインドのようになっていたかもしれません。

運が良かったのは、世界を侵略しようと競っていたヨーロッパ諸国は、ナポレオン戦争で命懸けの殺し合いをしているので、日本のような遠いアジアのことなど本気で構っていられなかったのです。

ヨーロッパを制圧したナポレオンの敗北

ナポレオンは、イギリス以外のヨーロッパすべてを制圧しました。

属国にされたプロイセンは一時的に国土の半分近くを削られます。スウェーデンに至っては、

ウェリントン将軍

ジョセフィーヌ

マリア・ルイーザ

フランスの元帥を王太子として送り込まれます。王太子は、のち今のスウェーデン王室ベルナドッテ朝の始祖、カール14世ヨハンとなりました。

ナポレオンがデンマークを叩きのめすと、デンマークがフランスの属国になるのを必至とみたイギリスがコペンハーゲンを焼き討ちします。英仏以外のすべての国は、両国の顔色を窺って生きるしかありません。

イギリスは、逆襲をスペインから始めました。ウェリントン将軍が、ゲリラ戦によって陸でのナポレオン優位を切り崩していきました。ちなみに、「ゲリラ」とはスペイン語で「小さな戦争」を意味し、スペインがフランスに対して起こした、スペインの反乱のときに生まれた言葉です。

１８０９年、ナポレオンはジョセフィーヌと離婚します。嗣子ができないのは表向きの理由で、神聖ローマ帝国を味方につけようとしたのが本音です。それが証拠に、離婚後間もなくハプスブルク家のオーストリア皇女マリア・ルイーザと結婚します。ところが、すべては裏目に出てしまいました。ジョセフィーヌは外交が得意で、社交界の華です。そんなジョセフィーヌを離縁したとなれば、敵に回る人が多くなります。

そもそも、一世の英傑とは、裏を返せば成り上がり者です。ヨーロッパの名門貴族はナポレオンに反感しか持っていません。当のハプスブルク家だって神聖ローマ皇帝の冠を取り上げられました。面従腹背です。運命の暗転は、冬将軍でした。

1810年、ロシアが大陸封鎖令を破ります。ロシアはイギリスの逆経済封鎖に耐え切れず、背に腹は代えられぬとフランスを裏切ったのです。

1812年6月、フランスはロシアに制裁戦争を仕掛けます。ところが、ロシア軍は焦土戦術をとり、モスクワの街を焼き払い逃げ出しました。補給線が伸びきったナポレオン軍に冬将軍が迫ります。敵もいない、焼け野原と化した冬のモスクワで70万人もの兵を養う食糧はありません。

10月にはもう、ナポレオン軍は退却し始め、12月にはパリに

ナポレオンのモスクワからの退却

到着しました。しかし、ロシア軍の猛追撃で、9割の兵が離散しました。意外と早い撤退にもかかわらず、大敗でした。

ちなみに、フランスがロシアに制裁戦争を仕掛けたのと時をほぼ同じくして、イギリスに謀反を起こしたのがアメリカです。ナポレオン戦争のちょっとした隙に、国境を接する英領カナダを奪おうと侵略戦争をしかけました。しかし、所詮まだまだ小国のアメリカは大国イギリスの相手ではなく返り討ちに遭い、大統領官邸まで焼かれる始末です。焼かれた大統領官邸を白いペンキで塗ったのが「ホワイトハウス」の起源です。

それはさておき、ナポレオンはといえば、冬将軍に負けた後も一進一退でした。

ナポレオンのロシア遠征失敗後の1813年2月、またしても対仏大同盟が成立します。この機に乗じて、ナポレオンを封じ込めてしまおうと各国が動きました。

10月にはライプツィヒの戦いで、ナポレオンは反仏諸国連合軍に敗れ、パリに逃げ帰ります。

そして迎えた1814年。イギリスのウェリントン将軍とプロイセンのブリュッヒャー元帥の同盟軍にナポレオン軍は包囲され、パリが陥落しました。

ナポレオン自身は退位し、エルバ島に流されます。流されたといっても、このときは罪人としてではありません。エルバ島の小領主、事実上の市長として流されました。

フランスは王政復古により、ルイ18世が即位します。フランス革命でギロチンにかけられたフ

ワーテルローの戦い

ランス国王ルイ16世の弟です。

そして開催されたのが、「会議は踊る。されど進まず」と称されるウィーン会議です。ナポレオン戦争後のヨーロッパの秩序をどうするかが話し合われるはずでした。しかし、会議は揉めます。揉めているうちに、ナポレオンがエルバ島から脱出したとの報が入ります。

１８１５年３月、パリに帰還したナポレオンは、再びフランス皇帝の地位に就いたので、ウィーン会議諸国は結束します。６月、ワーテルローの戦いで、ナポレオンは再びウェリントンとブリュッヒャーのコンビに返り討ちに遭います。

皇帝に返り咲いたナポレオンですが、結局は「百日天下」に終わり、南大西洋のセントヘレナ島に流刑となりました。

１８２１年５月５日、ナポレオンは流刑地セントヘレナで亡くなります。享年51です。公式発表による死因は胃癌です。ヒ素による暗殺説は否定されているようですが、実際のところはわかりません。

ウィーン会議は「非常設国際連合」

さて、その後、ウィーン会議はどうなったでしょうか。

フランスのタレーランとオーストリアのメッテルニヒがウィーン会議を推進したと言われています。

ウィーン会議で合意をみたいくつかの事項を箇条書きにして挙げます。

・ヨーロッパをフランス革命以前の状態に戻す。

・イギリス、ロシア、フランス、オーストリア、そしてプロイセンを五大国に確定させる。

・現在のオランダ、ベルギー、ルクセンブルグを含むネーデルランデン（低地地帯）で勢力均衡をはかり、ベルギーを中立国として残す。

すべて、生前の小ピットの構想通りでした。

まさに「死せるピット、生きるナポレオンを走らせる」です。『三国志』の英雄の祖国は滅びましたが、大英帝国はピットの死後に絶頂期を迎えます。なお蛇足を承知で言うと、「死せるピット」云々はもちろん、「死せる孔明、生きる仲達を走らせる」（『漢晋春秋』）からです。中国の三国時代、蜀の諸葛孔明と、魏の司馬仲達は、ピットとナポレオンのような好敵手でした。

ピット本人は亡くなりましたが、ウィーン会議のときのイギリス内閣は、全員がピットの閣僚でした。亡き宰相の教えを実行しました。そしてフランスとのヨーロッパ覇権抗争を制したイギリスは、世界に冠たる大英帝国を築き上げることとなります。

とにもかくにも、ウィーン会議で五大国が、オーストリアのメッテルニヒが提唱した正統主義で結束します。正統主義とはフランス革命以前のヨーロッパの体制を指し、それに戻そうというものです。彼らキリスト教国の結束は、ヨーロッパの大国が世界の大国になるとの宣言であると同時に、フランス革命の否定でした。ただ、フランスは、フランス革命以前の体制である王政に戻るといっても、ルイ18世があまりにも無能な人物なうえ、人望が無いので、まったく安定せずに革命を繰り返すこととなります。

メッテルニヒ

ウィーン会議後の秩序を「ウィーン体制」といいます。ウィーン体制は、いわば「非常設国際連合」でした。それまでの100年は、ヨーロッパの五大国が敵味方に分かれて争ってきました。しかし、ウィーン会議では五大国が名目上とはいえ、仲良くしたのです。画期的な出来事でした。

世界大戦が終わった後、五大国を確定し、五大国が協調すれば永遠の平和が保たれる、恒久平和が訪れるとする理念がありました。のち、国際連盟や、国際連合をつくったときもまったく同じ理念です。ついでに、失敗するところまでそっくり同じです。違うのは、ウィーン体制では会議場が常設ではなかった点です。

国際連盟も国際連合も、会議場は常設です。そうなったのは、ウィーン体制の反省があったからです。ウィーン会議後も事あるごとに会議を開くとなると、会議場をどこにするかから外交合戦が始

ウィーン会議の様子

まるので、なかなか安定しません。その反省が生かされました。

ヨーロッパの五大国が世界の五大国になったために、ヨーロッパの基準を非ヨーロッパに押し付けてくる端緒ともなりました。以後、世界のすべての国がウィーン体制の影響を受けます。

激動の時代。18世紀後半、祖法を守っておればよいのだと、「鎖国」に甘んじ、国防努力を一切しませんでした。そんな平和ボケ日本の「鎖国」をこじあけたのがナポレオンでした。

ただし、一度こじあけられてもすぐに閉じ、再び平和ボケに戻りました。

問 １８０８年、あなたが、フェートン号事件が起きたときの将軍徳川家斉だったら、どうする？

史実では。

見なかったことにして、先送り。責任は現場にだけ押し付ける。自分は何もしないで、女遊びにふける。

経済と文化が絶好調で、たまたま戦争がなかったので、みんな満足していた。

ちなみに、今もある、東大の赤門（重要文化財）はこのときにできました。加賀藩前田の殿様が将軍家斉の娘を正室に迎えるときに建てたものです。

第３章の教訓

力のない者は、言いなりになるだけ。

第4章

我こそは世界の支配者パーマストン

問

あなたが、アヘン戦争を知ったときの水野忠邦《みずのただくに》だったらどうする?

史実では?

老害が死ぬのを待つ。そして、すぐに自分も老害となる。

あげく、トンチンカンな改革で時間をムダにしただけで、去る。

19世紀の冷戦、英露の対立とアジア四大帝国

ヨーロッパ全土を巻き込んだ、フランス革命からナポレオン戦争へと続く動乱の事後処理として開催されたのが、ウィーン会議でした。そして会議では、フランス革命以前の秩序に戻すことが合意されます。正統主義です。英露仏墺普の五大国による協調体制は、ウィーン体制と呼ばれます。ウィーン体制は、「ウィーンコンサート」とも称されます。

ヨーロッパのみならず世界の五大国となったこれらの国々は、ウィーン会議後から第一次世界大戦までの約100年間、戦争をすることはほとんどありませんでした。しかし、直接的な軍事戦闘こそなかったものの、常に外交戦で争い、世界の覇権をめぐり争いを繰り広げていました。いわば、慢性的に「冷戦」のような状態でした。

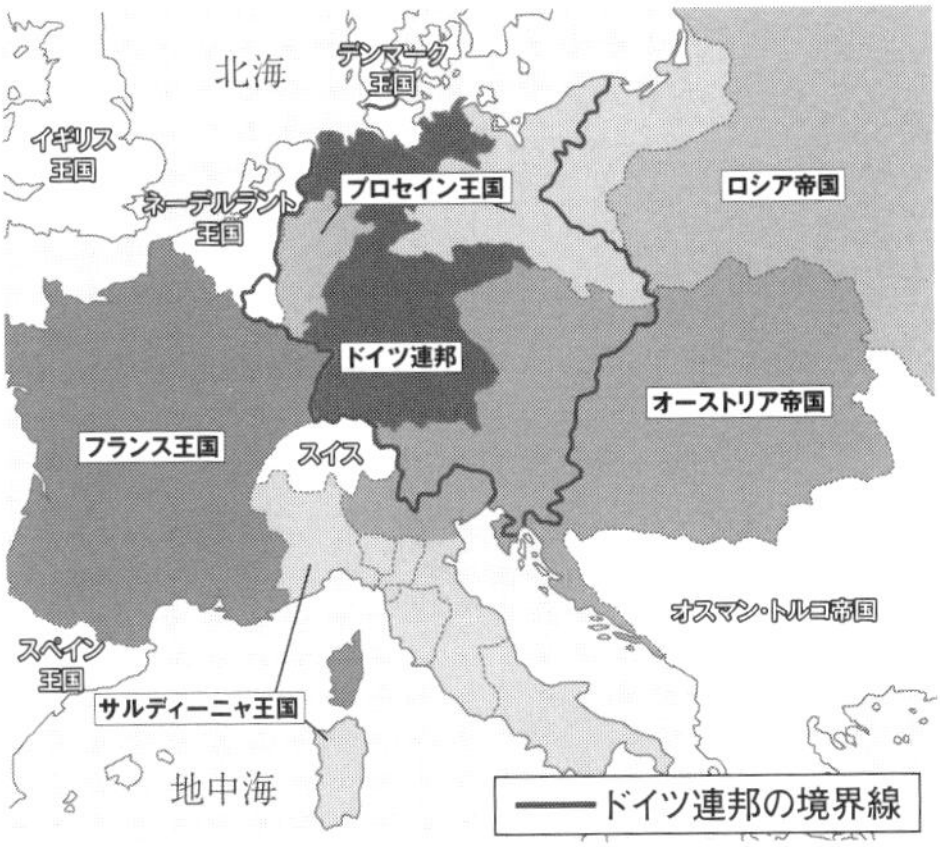

ウィーン体制

俗に言う「冷戦」は、第二次世界大戦が終わり、アメリカとソ連の対立が鮮明になった時に登場した言葉です。1947年、当時のアメリカ大統領顧問バーナード・バルークがアメリカ議会で使ったのが最初です。直接の武力戦闘がある現実の戦争「熱戦」に対して、緊張や対立が存在する状態を示す言葉です。アメリカ人は昔から存在するものに新しい名前を付けて自分が大発見をしたようにアピールする天才の集まりですが、「冷戦」も同じです。

米ソ両国が直接の熱戦を行うことだけはありませんでしたが、常に外交戦で争い、時に子分同士を争わせたり、子分を相手にけしかけたりしました。ソ連の子分のベトナムがアメリカに挑んだベトナム戦争や、ソ連に攻められたアフガニスタンをアメリカが支えたアフガン侵攻などです。しかし、実は、「冷戦」は別に1947年に始まったのではなく、昔から存在した状態なのです。ウィーン体制の時には「冷戦」の言葉こそありませんでしたが、冷戦と同じような状態は存在しました。

イギリスは七年戦争で独り勝ちし、ナポレオン戦争も勝ち抜き、押しも押されもせぬ超大国となりました。そのイギリスが大英帝国として世界の覇権国家である状況は、その後さらに100年続きます。チャンピオンのイギリスはそのままで、挑むチャレンジャーが、フランスからロシアに交代しました。世界中でイギリスとロシアが争うこととなります。

覇権争いは、ヨーロッパから東へと、アジアに向かって広がっていきました。その頃のアジア

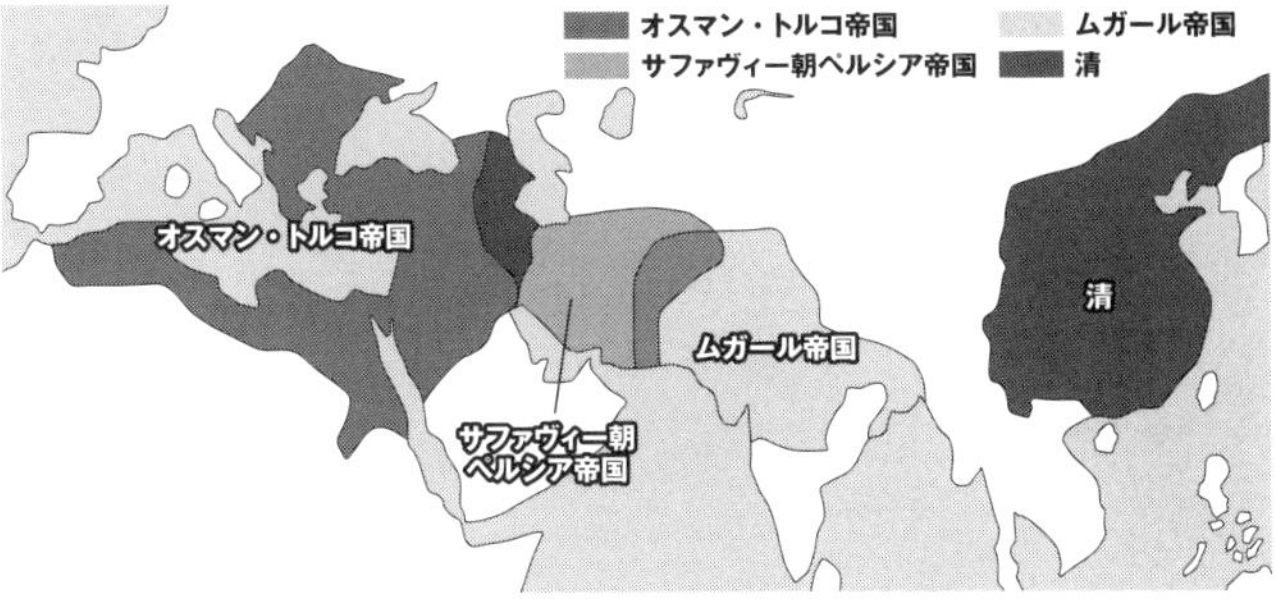

アジアの四大帝国（17世紀頃）

バーナード・バルーク

には、四大帝国がありました。西からオスマン・トルコ帝国、サファビー朝ペルシャ帝国、インドのムガール帝国、そして大清帝国です。アジアの四大帝国を舞台に、イギリスとロシアの覇権争いが広がっていきます。

ロシアは不凍港を手に入れるのが悲願です。寒い国なので、凍らない港が欲しいのです。海は地球上のすべての場所に広がっています。だから、南下政策は譲れません。これを海の王者のイギリスが阻止しようとしたのが、19世紀の「冷戦」です。

ヨーロッパから最も近いオスマン・トルコは、そんなロシアを地中海に出さないように、南下政策を妨害します。当たり前の話で、ロシアが地中海への港を持つということは、トルコ自身は、ロシアに征服されるということですから。イギリスは、トルコを支えます。

イギリスとロシアの縄張り争いはペルシャでも起こります。ただ、力ではロシアはイギリスに敵いません。ロシアはイギリスの提案した勢力圏分割案に乗ります。ロシアは北部、イギリスは南部と勢力圏を棲み分けしたので、ここでもロシアは海に出られなくなりました。

インドは、七年戦争でイギリスがフランスを追い出し、事実上イギリスの植民地です。その北西のアフガニスタンでもイギリスとロシアは対立し、何度か武力衝突を起こします。もっとも、英露が直接戦うのではなく、ロシアは子分のアフガンをけしかけます。

そして、ユーラシア大陸の東の果ての清でも、両国は勢力争いを行います。清にはロシアからは直接陸路で行けますが、イギリスからはインド経由で海路になります。これならロシアが有利です。

なお、ロシアは極東から海を渡ってアラスカも領有し、英領カナダを脅かします。当時のアメリカ合衆国は反英ですから、カナダは北のロシアと挟撃される格好になります。

このように、イギリスとロシアは、ユーラシア大陸を越えて地球を一周する陣取り合戦を行ったのです。

では、英露両超大国は日本をどのように見ていたでしょうか。

ロシアは自国の隣国なので日本を意識しています。要するに、「エサ」として狙っています。ただし、彼等にとって日本は小物です。ロシアがやっているのはいわば、「狩り」です。猛獣を仕留めようと狙っている時に、そこにウサギを発見したとして喜ぶでしょうか。当時の日本はウサギのような存在でした。この場合、獲物とされた猛獣は、清です。

イギリスに至っては、日本を視界に入れていません。幕末日本や李氏朝鮮を、「清のおまけ」くらいにしか思っていないのです。

世界を牽引したパーマストン

絶頂期の大英帝国には、「恫喝外交」「砲艦外交」の代名詞として世界から恐れられた政治家、第3代パーマストン子爵ヘンリー・ジョン・テンプルがいました。そのライバルのロシアの外交官が、カール・ロベルト・ネッセルローデです。

パーマストンは1784年、アイルランド貴族の家に生まれ、自由党の議員になります。1830年に外務大臣に、1855年には総理大臣になり、1865年総理大臣在職のまま亡くなるまで、ヨーロッパの外交界を牽引する人です。つまり、世界を牽引した人です。

ネッセルローデは1780年、ドイツ系ロシア外交官の家に生まれ、海軍に入り、1801年からは外務省に務めます。ウィーン会議には全権として出席します。1816年に外相になって

パーマストン子爵
ヘンリー・ジョン・テンプル

カール・ロベルト・
ネッセルローデ

から1856年にクリミア戦争の講和条約（パリ条約）に調印して辞任するまでの約40年間は外相として、その後は兼任した首相として1862年に亡くなるまで、ロシア外交を統率します。

パーマストンは、知れば知るほど実は日本と非常に関わりがある人です。パーマストンを知らずして、幕末の日本は語れません。

ウィーン会議開催時の1814年当時、パーマストンは議員になってまだ7年の30歳で、会議には出席していません。会議に全権として出席した名だたる人たちは皆、パーマストンより年上でした。オーストリアのメッテルニヒは11歳年上の41歳、フランスのタレーランはパーマストンとは親子ほど年の違う30歳違いの60歳でした。

この先、パーマストンは、世界外交史上に残るメッテルニヒと丁々発止にやり合っていきます。

当然ながら、ヨーロッパの事に関してはメッテルニヒのほうが先輩です。しかし、のちにパーマストンが「メッテルニヒはアジアの事情がわからないからな」と漏らすように、メッテルニヒはヨーロッパ事情だけを見ていた外交官でした。パーマストン自身は地球儀を見ている人でした。メッテルニヒの経験の深さに対して、パーマストンは視野の広さで対抗します。そして、大英帝国の国力をもって、達人的外交官のメッテルニヒを徐々に圧倒していきます。

フランスの老練な外交官タレーランに対してもも同じです。駐英国大使になった晩年のタレーランが、仏英同盟を結ぼうとパーマストンに持ち掛けます。それに対するパーマストンの返答は「そんな煩わしいものは不要」でした。イギリスはどの国とも同盟を結ばず、「光栄ある孤立」を誇ります。

１８３０年、外務大臣に初就任のパーマストンは早速手腕を発揮します。ベルギーを独立させ、永世中立国にし、ウィーン体制を完成させました。すべてはイギリスの利益のためです。

タレーラン

イギリスのドーバー海峡（約30～40㎞）は、対馬と朝鮮の釜山《プサン》との距離（約50㎞）よりも近いのです。イギリスの目と鼻の先に中立国を作り、事実上の傀儡国家を自国のために緩衝地帯にするわけです。しかも、それをあたかもフランス主導でやったかのように取り繕うのを忘れません。

パーマストンは後に有名な言葉を残します。１８４８年３月１日、下院でのパーマストンの発言です。

イギリスには永遠の同盟国も永遠の敵国もない。あるのは永遠の国益だけだ。

この言葉を、パーマストンは死ぬまで貫きます。

パーマストンには数々の名言があります。

1850年、ギリシャ在住の英国籍ユダヤ人商人ドン・パシフィコが、反ユダヤ主義のあおりを受けて家を焼かれ、ギリシャ政府に賠償を求めるも拒否される事件がありました。ドン・パシフィコはイギリス政府に助けを求めます。

パーマストンはギリシャに軍艦を差し向け、ギリシャ政府に圧力をかけました。これに国の内外から批判がなされるなか、パーマストンは毅然として演説します。

古《いにしえ》のローマ市民が『私はローマ市民である』と言えば、侮辱を受けずにすんだように、英国民も、彼がたとえどの地にいようとも、英国の全世界を見渡す目と強い腕によって不正と災厄から護られていると確信できるべきである。

一人の国民の為に総力を挙げるのが主権国家である。この原則は、現代でも生きています。

米中露を一人でねじ伏せたパーマストン

パーマストンは人がやれない事を、３つもやった人です。

一つ、逆上したアメリカ世論を脅しただけで黙らせる
一つ、チャイニーズを相手に真正面から殴りかかって叩きのめす
一つ、嫌がるロシアを引きずり出して袋叩きにする

米中露は21世紀の三大国ですが、19世紀ではパーマストン１人に殴られて終わりだったのです。当時はロシアこそ大国ですが、米中など二流の国でした。

では、パーマストンがやった、人のやれない３つの事を詳しく見ていくとしましょう。これを知らずして、日本のこともわかりません。

１つ目。１８３９年、英国領カナダとアメリカの国境でスパイをはたらいたイギリス人が、死刑になりそうになります。アメリカの世論はスパイの存在と行為に激怒します。が、パーマスト

ンは激高するアメリカ世論を脅して黙らせました。

アメリカは世論が激高すると「リメンバー・○○○」とのスローガンで戦意を掻き立てます。

1836年は、アラモ砦の戦いで、メキシコ軍相手に戦ったテキサス人180余名が全員戦死したときには「リメンバー・アラモ」と、米墨戦争に持ち込みました。

1898年は、アメリカ人保護のためハバナ港に停泊中の戦艦メイン号が爆発し、乗船していた260名が全員死亡したときには「リメンバー・メイン」と、米西戦争に持ち込みました。

1941年は、日本に真珠湾攻撃を受けたときには、国民世論を第二次世界大戦への参戦に持ち込みます。

しかし1839年、パーマストンに一喝されたこのときばかりは沈黙しました。どれだけパーマストンが怖かったのか。

パーマストンの威光もさることながら、自分が絶対に勝てないと思ったときは恥も外聞もなく退くことができるアメリカもたいしたものです。

パーマストンの「恫喝外交」の一端が見えてきたでしょうか。

2つ目。チャイニーズを相手に真正面から殴りかかって叩きのめしたのは、大清帝国相手のアヘン戦争です。

ドン・パシフィコ事件で、たった1人の悪徳商人を守るためでさえ、艦隊を派遣したパーマストンです。いくら不正とはいえ、自国民が被害を受けたときには当然、艦隊を派遣しました。

アヘン戦争とはいったいどのような戦争だったのか。少し詳しく見ておきます。

1636年、支那大陸での最後の王朝となる、「清」が建国されました。万里の長城の東北に住む満洲人の王朝です。

満洲人たちは、それまでは「金」を名乗っていました。

この王朝は、かつて（1115〜1234年）存在した王朝と区別するために、「後金」とも呼ばれます。満洲人は自分たちの王朝の名前を、金から清に変えたのです。そして、明への侵攻を本格化させます。

ちなみに、厳密にいうと、清が前王朝の明を滅ぼしたのではありません。

豊臣秀吉の朝鮮出兵以降、統治能力を急速に失った明は、内憂外患に悩まされ続けていました。外患とは満洲人の圧迫、内憂とは反乱です。そして、農民反乱を束ねた李自成に、明は滅ぼされてしまいます。

李自成は、「順」を建国し、自ら皇帝になります。しかし、順の命脈は40日しか持たず、清に滅ぼされます。満洲人の部族長は、モンゴルのハーン、中華王朝「清」の皇帝を兼ね、イスラム教の保護者として新疆ウィグルを、チベット仏教の庇護者としてチベットを統治することとなります。

支那大陸の最も安定した時代

清朝では、初代から第6代までの約200年間は名君が続きます。支那大陸史上、最も人民が幸せに暮らした奇跡的な時期でした。

名前を挙げていくと、初代が金を建国したヌルハチ、2代がホンタイジ、3代が順治帝、4代が康熙帝、5代が雍正帝、6代が乾隆帝《けんりゅうてい》です。特に、康熙・雍正・乾隆の3人は中華帝国史に残る働き者かつ名君で、国力が頂点に達します。

名君の最後、第6代乾隆帝（在位1735〜1795年）の治世は60年にも及びました。ナポレオンが生まれる14年ほど前から、皇帝に即位する少し前までの時期にあたります。

乾隆帝の時代、イギリス大使のマカートニーが、使節として清に入ります。清に対して朝貢貿易のような形ではなく、自由貿易を求めるためでした。

しかし、清の皇帝の前では、大英帝国の大使といえども端《はな》から朝貢使節扱いです。マカートニーは三跪九叩頭《さんききゅうこうとう》の礼を強要されます。三跪九叩頭の礼とは、清朝皇帝に対して臣下が行う正式の礼です。1度ひざまずいては頭を地面に3度叩きつけるのを3回繰り返します。マカートニーはそれだけは勘弁してほしいと拒否しました。ならばと、自国の王や女王に対して行う、片膝を屈する形での礼が許されました。しかし、乾隆帝からは「お前の国から貰う物は何もない、我が国には何でもある」と言われてしまい、イギリスが目論んでいた、対清貿易の改善には至りませんでした。

その清朝最盛期の乾隆帝の時代も、末期は腐敗しました。乾隆帝が重用した側近のヘシェンが、国家予算15年分を着服する有様でした。ヘシェンは中国でも「腐敗官僚」の代名詞です。今からどんなに中国人が頑張っても、ヘシェンのこの記録は塗り替えられないでしょう。

今の中国の国家予算の規模が大きくなりすぎたので、いくら何千億人民元レベルで着服するような人でも、とても15年分は着服できないだろうというのが、その理由だとか。

康熙帝

雍正帝

乾隆帝

ヘション

アヘン戦争とパーマストン

治世60年にして乾隆帝は引退します。名君の誉れ高い祖父第4代康熙帝《こうきてい》（在位1661～1722年）の治世を超えるのは失礼にあたるとの理由です。

第7代嘉慶帝《かけいてい》（在位1796～1820年）が帝位に就き、3年後に乾隆帝が亡くなると、ヘシェンは当然、裁判にかけられました。しかし、乾隆帝の服喪期間だったのが幸いし、本来ならば凌遅刑《りょうちけい》に処されるところを、自決させてもらえました。ちなみに凌遅刑とは、生きているままに肉を少しずつ切り刻み、時間をかけて死に追いやる刑罰です。

帝位に就きヘシェンを処分したとはいえ、もはや嘉慶帝は何もできません。乾隆帝末期の毒が回り、何もできないまま国力が衰退していきました。それでも、2回目のイギリス使節としてやってきたアマーストにも、乾隆帝のときと同じ調子で三跪九叩頭の礼を求めます。

前使節マカートニーが、あのとき三跪九叩頭の礼を免除されたのは乾隆帝のお情けだったのだといわれても、アマースト大使は頑なに拒否します。

結果、清との貿易改善の交渉さえできないまま帰国しました。

イギリスでは清から茶の輸入量が増大し、代金として支払う銀の流出が問題になっていました。

銀の流出を防ぐために、インドで栽培したアヘンを茶の代金にあてるようになり、清にアヘンが大量に流入していったのです。清ではアヘンが人々の心身を蝕んでいきました。

第８代道光帝《どうこうてい》（在位１８２０〜１８５０年）の勅令を受け、欽差《きんさ》大臣に就任した林則徐《りんそくじょ》は愛国心がある人でした。欽差大臣とは、臨時に特定の問題にあたる大臣です。林則徐は国中にアヘンが蔓延しているのを見て、没収のうえ、アヘンを無害化する処置を施したうえで公開処分しました。没収したアヘンは約１４００トン、処分するのに20日以上かかったそうです。それに対して、イギリスは人の財産をどうしてくれるのだと軍艦を派遣し、海上から攻撃しました。

１８４０年、アヘン戦争の勃発です。

さすがにイギリス議会でも「こんなあからさまな不正の戦争に賛成する訳にはいかない」と与党からも造反が続出したので、僅差の可決で開戦となりました。

嘉慶帝

アマースト

清では、林則徐はアヘンを強行に処分したのが戦争を招いたとして、その責任を問われ罷免され左遷され

林則徐

ました。

アヘン戦争は、ある日突然起きたわけではありません。それまでの過程には、イギリスの間接侵略がありました。清人を手《て》懐《なず》けておいて、清人自身に林則徐を失脚させたのです。

一方の清もイギリスに穏便にお引き取り願うため、飲ませ食わせ抱かせはもちろん、賄賂を贈りまくります。

しかし、イギリス人は甘くありません。ハニートラップにも引っかからないどころか接待を受けるだけ受け、「ところで、女王陛下の誕生日が近いから香港をくれ」とばかりに要求します。実際、降伏条件として香港島を清に割譲させました。

１８４２年に租借され、中国に返ってきたのは１９９７年です。清の時代には返らず、その後継国家の中華民国の、そのまた後継国家の中華人民共和国の時代に返還されました。この時代の租借とは、奪われるのと同じなのです。

アヘン戦争になったとき、唯一まともな林則徐が不在です。清国は、あっという間に1か月で正規軍が壊滅します。清国の序列で1位の満洲人による満洲八旗や2位のモンゴル人によるモンゴル八旗などの正規軍が何の役にも立たないのです。絶頂期の精鋭ぶりは今いずこ、単なる無駄飯喰らいの集団になってしまっていました。

アヘン戦争は2年に及んでいます。しかし、イギリスが清の正規軍を1か月で叩きのめしたので、あとはゲリラ戦でした。普通ならば、ゲリラ戦に引きずり込まれると酷い目に遭います。のちの大日本帝国もそうでした。しかし、そこはパーマストンです。艦砲射撃に援護された陸戦隊を上陸させ、清を降伏に追い込みました。

パーマストンはチャイナに関しても名言を残しています。曰く「支那は10年に1回は叩きのめさなければいけない」と。

アヘン戦争、炎上するジャンク船

パーマストンは、問題を解決しようなどとは考えません。国際社会において、問題は解決できないからこそ、問題なのです。解決できるようなものを、問題と呼ばないのが、国際社会の常識なのです。だから対処し続けなければいけないとわかっていたのが、パーマストンでした。

なお、悲しき愛国者の林則徐は、左遷されたあとも「復活しては失脚」を繰り返します。最後は太平天国の乱を討伐するために大臣として赴任していた先で、1850年に亡くなります。

太平天国の乱とは、洪秀全《こうしゅうぜん》という狂信者が組織した宗教結社である太平天国が起こした反乱です。

太平天国の乱

林則徐の側近に魏源《ぎげん》という学者がいました。アヘン戦争では実際にイギリス軍とも戦った人です。魏源は実学の人で、国を立て直すには知力からだと、国際情勢を徹底的に調べた大部な報告書を著しました。これが『海国図志』です。国際情勢のみならず、富国強兵を唱え、近代軍備、殖産興業の必要性を説いています。しかし、清朝宮廷ではまったく顧みられませんでした。代わりに、日本で大いに読まれた書物です。

日本では『海国図志』を読んだとはっきりと記録されている人だけでも、松平慶永《まつだいらよしなが》（春嶽《しゅんがく》）から、島津《しまづ》斉彬《なりあきら》、川路聖謨《としあきら》、横井小楠《しょうなん》、河田迪斎《てきさい》、佐久間象山《しょうざん》、吉田松陰《しょういん》、橋本佐内《さない》、井上毅《こわし》らがいます。

松平・島津は大名、川路・小楠・河田は官僚、象山・松陰・佐内は学者かつ活動家、井上毅は名もなき若者ですが後に帝国憲法を起草する偉大な学者政治家です。皆、幕末から明治にかけて活躍しました。上は大名から、下は名も無き武士たちまで、真剣に読みました。『海国図志』が長崎に届いたと知るや、注文が殺到したほどです。

危機迫る、天保という時代

アヘン戦争での清の敗北に危機感を持った、日本の国内事情を押さえておきましょう。時はさかのぼり、アヘン戦争が起こる7年前、天保４（１８３３）年です。日本はこの年から天保7（１８３６）年［天保10（１８３９）年の説もあり］まで、全国的な飢饉に見舞われました。天保の大飢饉です。絶好調だった徳川家斉による大御所時代の経済的繁栄が止まってしまいました。

飢饉に対して有効な救援策を打てない江戸幕府に対して、抗議行動が起きます。天保8（１８３７）年2月に大坂では大塩平八郎の乱、6月に越後国《えちごのくに》柏崎《かしわざき》では生田万《いくたよろず》の乱が起きました。

大塩平八郎の乱が起きたあと、１８３７年4月に何を思ったのか、家斉は将軍を辞めてしまいます。面倒臭くなったというのが本音でしょう。しかし、将軍を辞めても実権は放しません。というよりも、離れないといったほうが正確です。

50年も将軍をやっていれば、本人がいくらやる気をなくしても、家斉に話が全部持ってこられてしまいます。家斉のもとで既得権益を握っている人たちがいて、改革に総論では賛成しても、自分たちの既得権益だけは絶対に手放さないような人たちです。そんな人たちが上から下まで詰

大塩平八郎

まっていて、改革を阻みます。嫌気がさして辞めたところで、家斉自身にもそうした構造はどうにもなりません。将軍が代わろうがそのままの状態では、跡を継いだ息子の第12代将軍家慶が、何かやろうとしても何もできないのです。

アヘン戦争で林則徐が失脚したころの日本は、そんな四方八方手詰まりの状態でした。

1840年からのアヘン戦争で清が酷い目に遭わされているのは、幕閣の誰もが知っていました。

当時の幕閣は大老が井伊《いい》直亮《なおあき》、老中は水野《みずの》忠邦《ただくに》、松平《まつだいら》乗寛《のりひろ》、太田《おおた》資始《すけもと》、脇坂《わきざか》安董《やすただ》でした。とはいえ、この面々の中で、今も知られているのは水野忠邦ぐらいではないでしょうか。他の人たちははっきり言えば、役立たずの連中です。実際に、本気で改革する意思があったのは、水野忠邦だけでした。

水野忠邦も頭ではわかっているのです。アヘン戦争が始まって、ヨーロッパの列強が清国の次に狙うのは自分たち日本だと。

では、列強に呑み込まれないために具体的な改革をどうやるのか。究極の老害である、家斉が死ぬのを待つだけです。

大御所時代のしがらみで動けない中、景気も後退し、安全保障は絶望的です。1841年、ようやく家斉が死んでくれました。水野は家慶の信任を得て、改革を始めます。世に言う、天保の改革です。

しかし、蓋を開けてみれば、これがどうしようもない絶望的な経済政策だったのです。水野は、物価は命令できる、質素倹約をやりさえすれば景気は良くなると勘違いしています。経済学の知見はゼロです。結果、景気は大悪化。このときは物不足で、インフレが止まりません。貨幣の量を減らせばいいのに、そういう知恵はまわりません。

天保の改革は2年で失敗します。江戸、大坂近辺の領地を直轄地に召し上げようとした上知令《あげちれい》を出したものの、ものの見事に反発を喰らい、水野忠邦は失脚しました。上知令の失敗で失脚しても、また政権に一時戻ってきます。しかしそのあとすぐ、在職中の不正を理由に隠居、蟄居に追い込まれました。

水野忠邦

水野忠邦もどうしようもない人なのに、今でも教科書に載り、偉人のごとく扱われています。どうにも理解できません。

教育者土光登美《どこうとみ》が残した言葉、「国の滅びるは悪によらずしてその愚による」。まさに、この言葉を地でいく水野忠邦です。ちなみに、土光登美氏は、第二次臨時行政調査会会長として手腕を発揮した土光敏夫氏のご母堂です。

天保の改革のおまけの話を1つ。

息が詰まるような天保の改革のときにヒーローになるのが、「遠山の金さん」で知られる北町奉行遠山景元《とおやまかげもと》、通称金四郎です。金さんは講談や浪曲でも取り上げられ、何度もテレビ番組にもなった人気者です。それらに描かれるヒーロー像とは少し違い、実際の裁判官としては別に大して立派だったわけではなかったようです。では、なぜ当時からそんなに人気があったのか。それは、同時期の南町奉行の鳥居耀蔵《とりいようぞう》の取り締まりがあまりにもひどかったからです。鳥居との比較で、庶民いじめをしなかった金さんの人気が上昇し、芝居小屋でヒーローになっただけのことでした。

では、その鳥居耀蔵（甲斐守《かいのかみ》。諱《いみな》は忠耀《ただてる》）はというと、目付の職にあったとき、大塩平八郎の乱を押さえ、さらには、渡辺崋山、高野長英ら洋学者を弾圧します。蛮社の獄です。そのときの手腕を水野忠邦に認められ、天保の改革では水野の片腕として取り締まりにあたりました。鳥居はそのあまりにも厳しいやり方から、世間では甲斐守忠耀の名のもじりで「妖怪」と呼ばれ、庶民に嫌われます。しかも、水野忠邦に取り立てられながらも、上知令のときに最後の最後に反対し、水野を裏切るような人でした。

経済をわからない政治家が民を苦しめる

江戸時代の三大改革は三大改悪と言いたくなる代物です。将軍吉宗の享保の改革、松平定信の寛政の改革、そして水野忠邦の天保の改革。いずれも、経済に道徳を持ち込み、世の中に出回るお金など少ないほうがいいと思ってやっているからです。今の消費税もまったく発想は同じで、なんら歴史に学んでいません。それでも吉宗だけは途中で軌道修正したので、何とかなりましたが。松平定信も、水野忠邦も何を血迷ったか、失敗した先例を模範としてしまいました。江戸時代は三大改革で後退し、潰れています。

なぜそんな事態になってしまったのでしょうか。

江戸時代の人がバーチャル武士道に染まってしまったのが、一番の原因だと考えられます。戦国時代が終わり江戸時代に入ると、経済などはできて当たり前だとの感覚がなくなっていくのが大きな要因です。戦国時代は経済ができているからこそ、戦《いくさ》ができていたわけです。ところが、江戸時代に入るといつしか、戦国時代は戦だけをやっていたと思うようになり、経済などはできて当たり前から、経済は要らない、あるいは、経済を敵視する風潮まで出てきてしまったのです。それが「バーチャル武士道」と名付けたゆえんです。今の世でも「増税して、不幸になれば、みんな幸せになれるんだ」などの謎の理論を説く人がもてはやされたかと思えば、それをバイブルにするような政治家までいます。「貧乏は正義だ」のような言い方をする人はたいてい自分が金持ちなので、よけいに始末に負えません。

軍事に関して、「素人は前方を語り、玄人は後方を見る」との箴言があります。前方とは作戦の事、後方とは兵站（補給）、広い意味では経済の事です。

令和2年はコロナ禍で、世界中が大騒動です。前方では疫病対策が必要ですが、後方の国民経済が崩壊しては、コロナ対策になりません。「命か経済か」ではなく、経済をちゃんとしないと命を守れないのです。

昔の政治家は「経済なんて、できて当たり前」でしたが、戦国の尚武の気風が薄れ江戸の平和ボケが浸透すると、経済もできない政治家がのさばるようになったのです。

たかが経済、されど経済なのです。

知られざるクリミア戦争北海道戦線

国際情勢に戻ります。日本とは関係なく動いています。

パーマストンがやった、人のやれない事の３つ目です。

外交上手なロシアを無理矢理引きずり出して袋叩きにしたのは、クリミア戦争です。

イギリスとロシアの対立が激しくなり、主戦場の一つがオスマン・トルコでした。１８５３年、露土戦争が起きます。ロシアとトルコはしょっちゅう揉めているので、何度目かわからない露土戦争です。このときは、トルコがロシアの圧迫に耐えかね、イギリスに助けを求めました。

ロシアとトルコの明暗を分けたのは、パーマストンがどうするかをめぐる両国の判断でした。

クリミア戦争「セヴァストーポリ包囲戦」

ロシアとトルコは正反対の判断をします。この時のパーマストンは外交からはずれ、内務大臣です。ロシアはパーマストンが外務大臣ではないからイギリスは参戦してこないと踏みます。一方のトルコはパーマストンが内閣にいるからイギリスは参戦してくると踏みました。
結果はトルコの読みどおりでした。イギリスが参戦します。それも、フランスを誘うおまけつきです。１８５４年、イギリス、トルコ、フランス対ロシアのクリミア戦争になりました。
クリミア戦争は、クリミア半島だけで戦われていたわけではありません。

プチャーチン

阿部正弘

クリミア戦争に〝北海道戦線〟があったのをご存じでしょうか。イギリスとフランスの船がロシアの船を追いかけまわし、北海道を巻き込んで戦っているのです。

英仏連合軍の軍艦が函館港を基地として出港していきます。カムチャッカ半島の南東ペトロパブロフスクに上陸し、ロシアと戦うためです。日本は函館港を基地として提供したのにとどまりません。国交がまだなかったにもかかわらず、フランス軍の傷病海兵を函館の寺で受け入れ療養させたりもしています。北海道はクリミア戦争の戦場そのものにはならなかったとはいえ、大いに関係していました。（以上、函館市旧イギリス領事館公式サイト『函館開港150周年歴史パネル特別展示（保存版）函館とイギリス』より）

アメリカのペリーが浦賀に、ロシアのプチャーチンが長崎にやってきたのは、ちょうどクリミア戦争が始まったころでした。ロシアは英仏に追い掛け回されながら、日本に開国を迫っているのです。

時の老中は阿部《あべ》正弘《まさひろ》。1843年に老中になり、1845年に失脚から1度戻った水野忠邦を天保の改革中の不正を理由に追い出したのが、この阿部正弘です。

阿部正弘は、本気の改革派でした。直面する難局に対処するため、いろいろな人を身分に関係なく登用します。『海国図志』を読んでいた川路聖謨、ペリー来航を受けて「海防意見書」を提出した勝海舟なども登用しました。外様の島津斉彬などとも組み、琉球を通した国際情報をもらいながら改革を考えます。

それまでの江戸幕府は外様大名のみならず、親藩も排除して、譜代大名がずっと政権を独占してきました。親藩を排除したのは、取り立てれば将軍のライバルになるからです。

阿部正弘はそうしたやり方をやめて、外様の島津を相談役に起用し、親藩の水戸烈公（徳川斉昭）をも取り立てました。当時の江戸幕府の体制の枠内の最大限の改革をやっているのです。それでも、小手先の改革感はぬぐえません。

徳川斉昭

徳川斉昭について一言。水戸烈公は実は改革派なのです。しかも開国派です。水戸藩は国際情勢に関して一番研究している藩であり、イギリスもしょっちゅうやってきています。危機感を持たせるために、攘夷を言わなければいけないと言い募っているうちに、いつの間にか攘夷派に祭り上げられてしまっていたというのが実際のところです。

最適の交渉相手としてアメリカを選んだ幕府

阿部が老中首座のとき、外交もそれなりにうまくいっていました。

当時の大学頭《だいがくのかみ》林復斎も国際情勢をよく研究し、1854年、全権の1人として日米和親条約に調印します。日本が初めて条約を結んだ外国はアメリカでした。ちなみに、林復斎に付いて、条約文の起草にあたったのが、魏源の『海国図志』を読んでいた一人河田迪斎でした。

日本が最初に条約を結ぶ相手が、ロシアならば呑み込まれます。かといって、イギリスは信用ならない相手であり、イギリスと組めばそれを口実にロシアに潰される可能性も大いにありうるわけです。そんなときに現れたのが、アメリカでした。

アメリカはオランダほど弱すぎず、イギリスやロシアほども強すぎず、当時の日本にとっては程よい相手です。日本はアメリカ相手ならば交渉もでき、どんどん押し返していくのも可能だったので、調印しました。一方的に脅されるまま開国したなどというのは大嘘で、日本が積極的にペリーを選んだ側面が大きいのです。そうでなければ日米が日露戦争まで最大の友好国である事実の説明がつきません。事実に基づいて考えましょう。

この大嘘は、明治政府とマッカーサーの合作です。明治政府は江戸幕府が無能であってもらわねば困りますし、マッカーサーは日本人にコンプレックスを植え付けなければなりませんでした。時代を超えた両者の奇妙な利害の一致が大嘘を生んだのです。

幕末のこのときの日米関係こそ、真の友好です。お互いに脅し合いながら仲良くしているからです。ペリーが砲艦外交を仕掛けてくれれば、日本もペリーが来る日にちを特定し、その日に合わせて大砲をぶっ放す演習をするといった応酬です。お互いに武器を持ち、いざとなれば殺すぞと見せつけ合いながら仲良くする、これが真の友好です。今日の「日米同盟永久論者」とでも称すべき人たちは、多分に従属と同盟の違いがわかっていないのでしょう。彼らは、そもそも友好とは相手に気に入られるように仲よくすることだと勘違いしているように見えます。

魏源

ペリー

イギリスに結ばされた最悪の日墺条約

クリミア戦争の最中だから、一番有利な形で条約を結べました。その証拠に、ロシアは日本の申し出通りに、長崎に来て国書を渡しています。英仏と戦っている状態で、余計な揉め事を起こしたくないという心理であり、阿部率いる幕府はそこをついたのです。

英仏も、日本どころか東アジアに無関心でした。

案の定、クリミア戦争に片が付いた1856年、英仏が清を袋叩きにします。第二次アヘン戦争と呼ばれる、アロー戦争の勃発です。

アヘンを密輸していたアロー号が、清朝に立ち入り検査を受け、乗組員が逮捕されました。これにイギリスが猛抗議。アロー号は英国領香港船籍であり、掲揚していた英国国旗を引きずり下ろすとは英国に対する侮辱も甚だしい、というのが抗議内容でした。しかし、香港船籍の期限は切れ、国旗の引きずり下ろしについては曖昧で、すべては清朝を叩く口実にすぎません。イギリスはフランスを誘い、共同で出兵します。フランスは自国のカトリック宣教師が清で殺害されたのを口実に支那大陸への侵出を目論んでいたところでした。ちなみにこのときイギリスはパーマストンが首相、フランスはナポレオン1世の甥のナポレオン3世が皇帝でした。

アロー戦争がもうそろそろ終わりそうな時期にさしかかった１８５８年、江戸幕府はアメリカをはじめ、オランダ、ロシア、イギリス、フランスの５か国と次々に修好通商条約を締結します。安政五か国条約です。安政の不平等条約ともいわれ、たとえば、日本国内でそれらの国の人が罪を犯した場合、日本の法律では裁けず、その人の国の法で裁く（領事裁判権）、また、それらの国から入ってくる輸入品に日本が自主的に関税をかけられない（関税自主権の放棄）など、不平等は不平等でした。

アロー戦争

ハリー・パークス

しかし、１８６９年に日本とオーストリア＝ハンガリー二重帝国とのあいだで締結される日墺条約の不平等さに比べれば、それほどひどい不平等ではありません。日墺条約では細かい規定によってより不平等さは深まり、なによりそれらの規定が、締結当事者のオーストリアだけでなく、それまで既に条約を締結していた国々にも適用される、いわゆる最恵国待遇が適用されて不平等が拡大されたわけです。まさに、それを狙って日墺条約の締結を仲介したのが駐日イギリス公使パークスです。イギリスが徹底的に不平等にしたのです。

イギリスとロシアの「冷戦」の合間で、幕末が動いていきます。

アメリカ南北戦争と薩英戦争

さらに、日本に大きな影響を与えたのが、1861年に起きた南北戦争。世界の僻地アメリカ合衆国での内戦です。

和親条約も安政条約も、日本が最初に結んだのはアメリカでした。そのアメリカが姿を見せないのが不思議だと思っていたところ、南北戦争の泥沼の内戦で、日本どころではなかったのです。アメリカ合衆国の実態は英語でUnited States of Americaと表現するように州の集まりであり、アメリカ連邦と呼んだほうがふさわしい、今のEUのような連合体でした。

1860年、アブラハム・リンカーンが「奴隷解放」を掲げてアメリカ連邦の大統領に当選します。南部の州にとって、いきなりの奴隷制度廃止は死活問題でした。白人だけの国を作りたくて、何かにつけて黒人を追い出した北部とは異なり、南部では黒人奴隷を家畜ぐらいには大切に扱い、活用していたからです。リンカーンのパフォーマンスだけで奴隷解放を言われても、南部は到底受け入れられません。危機感を募らせた南部はアメリカ連邦離脱を図ります。独立を宣言し、南部11州から成るアメリカ連合国を宣言しました。

連邦を離脱したい南軍と、それをなんとしてでも阻止したい北軍。追い詰められた南軍が北軍に奇襲を掛けます。これが南北戦争の始まりです。

アメリカ大統領リンカーンが奴隷解放を言い出したのはほかでもない、パーマストンを味方に付けるためでした。なにしろ、パーマストンは奴隷解放が趣味の人でしたから。パーマストンのイギリスが北軍に対し好意的中立の立場をとったので、リンカーンの北軍は勝利したのです。

アブラハム・リンカーン

南北戦争が戦われている間に、日本ではイギリスが絡む一連の事件が起きています。

日本人にとっては、外国人が日本の土地を自由に歩き回るのは屈辱でした。

１８６２年、横浜の生麦村で事件が起きます。事は、薩摩の島津久光一行の行列に騎馬のイギリス人４人が行き遭ったところから始まります。イギリス人４人が大名行列に無礼をはたらいたとの理由で、薩摩藩士が斬りかかります。イギリス人１人が死亡、２人が傷を負う事件でした。生麦事件です。

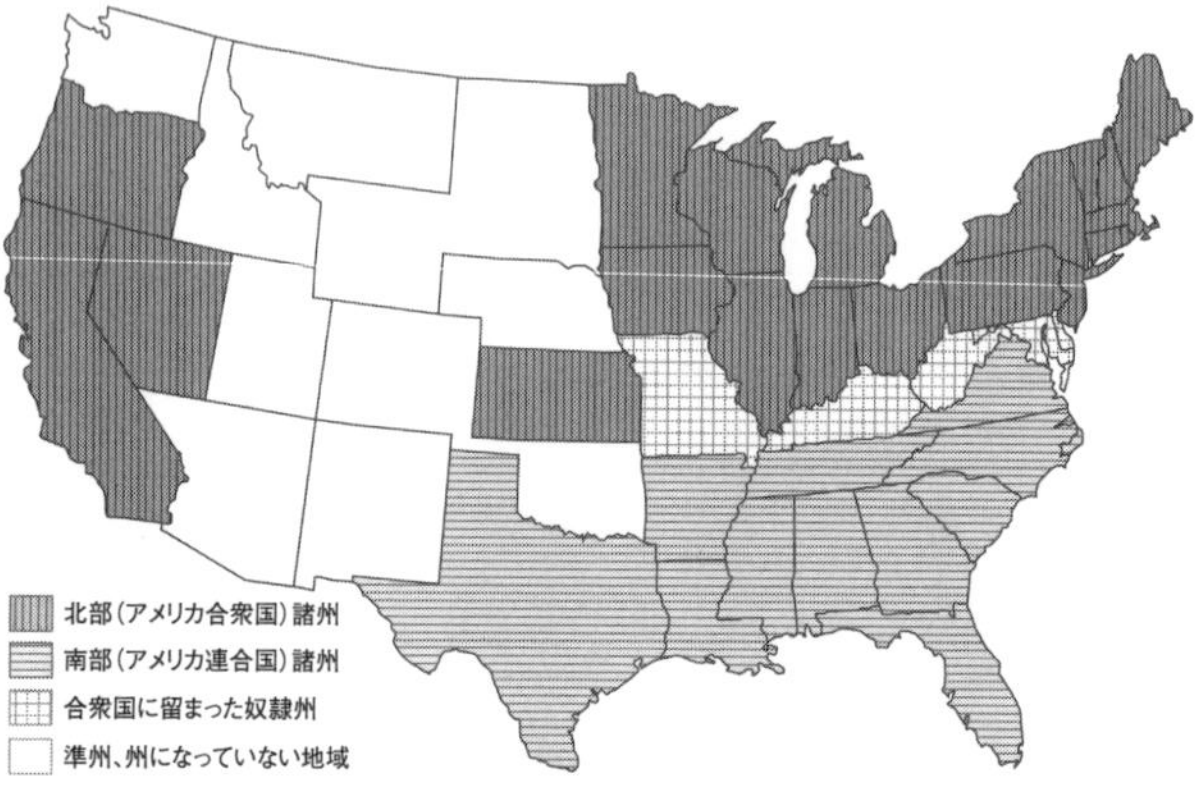

南北戦争時のアメリカ

南北戦争、ゲティスバーグの戦い

イギリスは幕府と薩摩藩に犯人引き渡しと賠償を求めてきました。幕府は応じましたが、薩摩藩はこれを拒否。そのため翌年1863年、薩英戦争が起きます。日本史の歴史用語でこそ「薩英戦争」ですが、英語では「鹿児島砲撃＝Bombardment of Kagoshima」です。

一方的に艦砲射撃を受け、鹿児島は火の海になります。しかし、死傷者は薩摩19名、イギリス63名と、イギリスのほうが多く出ました。薩摩は事前に市街地から全員疎開していたからです。イギリス艦長が、まぐれ当たりとはいえ薩摩の砲弾で命を落とし、イギリスは撤退します。

さらにその翌年1864年には、長州藩が下関で英米蘭仏の４か国の連合艦隊から報復攻撃を受ける馬関戦争が起きます。

薩英戦争、馬関戦争をとおして薩長は身をもって現実を知り、倒幕に動くことになります。

１８６５年、南北戦争が終わって半年後の10月、パーマストンは首相在任のままこの世を去りました。享年80。

一人の英雄の死で、日本と世界の歴史は大きく変わります。

生麦事件、当時の生麦村

薩英戦争

馬関戦争、長府の砲台

問 あなたが、アヘン戦争を知ったときの水野忠邦《みずのただくに》だったらどうする?

史実では。
老害が死ぬのを待つ。そして、すぐに自分も老害となる。あげく、トンチンカンな改革で時間をムダにしただけで、去る。

第4章の教訓
ちゃんと戦え!

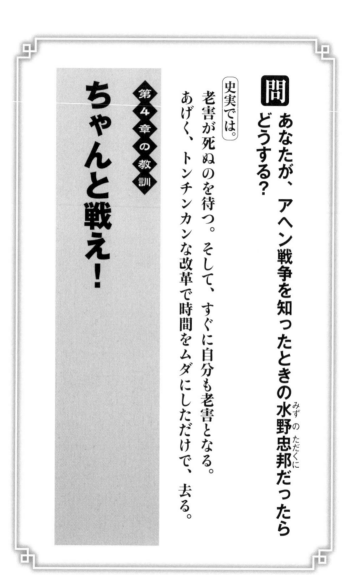

第5章 ビスマルクが近代日本を作った

問

1867年、皆で徳川慶喜《よしのぶ》さんを中心に政権を作ろうと言って、なんとなくまとまってきました。岩倉具視《ともみ》という、反慶喜派筆頭の人までがお金で買収されました。そんなとき、あなたが岩倉の盟友の大久保利通だったらどうする？

史実では？

自ら運命を切り拓く。

名ばかり大国プロイセン

　イギリスのパーマストンと入れ替わるように、世界の政治の舞台に登場したのがプロイセンのビスマルクでした。ドイツ帝国を築く「鉄血宰相」です。しかし、当時のプロイセンは五大国の末席の、名ばかり大国でした。

　オットー・フォン・ビスマルクは、プロイセン王国の東部のユンカーと呼ばれる地主貴族の息子に生まれました。ビスマルクが生まれた１８１５年４月１日は、ヨーロッパはナポレオンの「百日天下」の真っ最中でした。ウィーン会議の開催中にエルバ島を脱出したナポレオンがパリに帰還し、復位したほんの短い時期のことでした。

ビスマルク

　ビスマルクは20歳の時に一旦は官吏になりますが、性《しょう》に合いませんでした。次に父親と同じユンカーとして家業の経営に携わりますが、それにも飽き足らず、１８４７年に32歳で代議士として政界入りします。

　１８５１年からの約11年間は外交官でした。外交官時代のフランクフルトでの８年間に、ビスマルクは反オーストリアに転じたといわれます。そのときに受けた、オーストリアのプロイセンを格下扱いする態度がよほど腹に据えかねたようです。ビスマルク自身がフランクフルトに着任したときには「決してオーストリアに原則的に敵対する人間なんかではありませんでした」と認めています（飯田洋介『ビスマルク』中公新書、２０１５年）。

オーストリアもプロイセンも同じドイツ人の国ですが、確かに格が違います。オーストリアの皇帝位にあるハプスブルク家はヨーロッパ一の名門を誇ります。神聖ローマ皇帝の冠こそナポレオン戦争の時代に失いましたが、西欧では唯一の皇帝です。西ローマ皇帝の継承者と、自他ともに認めています。

東欧のロシア帝国が１７２１年以降は「東ローマ帝国の後継者」を自任していて、18世紀以来ヨーロッパには２人しか皇帝がいません。

ナポレオン1世と3世は自ら皇帝を名乗りますが、成り上がり者として扱われていますので、本音のところでは相手にされていません。そのナポレオン3世の帝政が崩壊してからのフランスは、ヨーロッパでただ2つの共和国となります。もう1つはスイスです。20世紀初頭まで、ヨーロッパでは他のすべての国が君主制ですから、フランスとスイスは「変わった国」として扱われていました。

ちなみにイギリス国王が皇帝を名乗るのは、インドを併合してムガール皇帝の冠を奪った

１８７７年からです。

これに対してプロイセンは、格下です。もともとプロイセン国王は、ドイツ地方に３００人くらい居た諸侯の中で、上位７人には入っています。皇帝を選ぶ権利があることになっている「選帝侯」と言われる貴族の１人でした。事実上はハプスブルク家が世襲なので、承認投票をするだけで、その際に多額の金品を貰う慣例でした。

それがスペイン継承戦争（１７０１〜１７１３年）のドサクサに、戦争に協力する見返りとして皇帝に「王」の地位を認めさせたのです。オーストリアから格下呼ばわりされるのも、仕方が無いことなのです。

ただし、それを未来永劫受け容れるかどうかは、格下扱いされた側の意思と実力次第ですが。

ナポレオン３世

１８６２年9月23日、ビスマルクがプロイセンの首相となります。日本で生麦事件が起きた9日後です。10月8日には、外相も兼任します。プロイセンは、世界を支配する大英帝国はもちろん、ロシアやフランス、やや落ち目のオーストリアにも大きく引き離されて、名ばかり大国です。

プロイセンが弱いのは、「ドイツ」がバラバラだからです。

今でこそドイツ連邦共和国と名乗る国がありますが、「ドイツ」と考えられていたのはその範囲だけではありません。その周辺を含めてドイツ地方であり、国境を越え広がっています。

今の国でいえば、オーストリア、ルクセンブルク、リヒテンシュタイン、さらにオランダ、ベルギー、スイス、デンマークなどの一部、そしてフランスのアルザス＝ロレーヌ地方も「ドイツ」でした。チェコやポーランドの一部もドイツ地方に入れる考えもあるくらいです。ちなみに、七年戦争でプロイセンのフリードリヒ大王がオーストリアから奪ったシュレージエン地方は現在、ポーランドとチェコにまたがっています。

ドイツという単位で1つにまとまろうとすれば、どうしてもオーストリアのハプスブルク家が中心になり、プロイセンは風下に立ちます。ハプスブルク家が名門だからです。国際社会は、特にヨーロッパでは、歴史が古い方が偉いのです。軍事力が強いとか経済力があるとか、個人の努力で達成できる基準にすれば競い合い争いが絶えませんが、一代の努力ではどうにもならない歴史を基準にすれば、みんなが黙ります。

それまでも「ドイツをまとめよう」と言い出した人は大勢いましたが、多数派はオーストリア・ハプスブルク家を中心にまとまるのを当然と考えるのです。これを「大ドイツ主義」と言います。

それを認めないのが、プロイセンでした。ハプスブルクを排除して、プロイセン中心のドイツを作る「小ドイツ主義」でいこうと考えたのが、ビスマルクです。力、すなわち軍事力と経済力、そして外交力で圧倒してしまえば、それで構わないと考えたのです。
ビスマルクには明確な意思がありました。

鉄血宰相ビスマルクのもたらした平和

宰相就任から2年目の1864年から7年間、3つの戦争を行います。決して行き当たりばったりではなく、3つ目の戦争を勝つ構想から逆算しました。そして徹底的に現実的に、いかなる空想や希望的観測も持ち込まずに、何をすれば自分の理想形が実現するかを必死に考え、実行しました。

一連の3つの戦争は、「ドイツ統一戦争」「ビスマルク戦争」とも呼ばれます。ビスマルクがドイツを統一するための戦争だったからです。

ビスマルクは、ドイツから最初にデンマークを追い出し、次にオーストリアを追い出し、そして宿敵フランスをヨーロッパで孤立させ、プロイセンを中心にしたドイツの安定を図ろうと考え実行しました。

そうして築かれたビスマルク体制のもと、ヨーロッパにもたらされたのが「ビスマルクの平和」

と呼ばれる束の間の時間でした。たとえそれが束の間であっても、ビスマルクが首相を辞任する１８９０年までは続きました。30年もありませんでした。しかし、その間、ヨーロッパ列強は内輪の問題にかかりきりになり、アジアにかまっている暇などありませんでした。だから、日本は近代化するための時間を稼ぐことができました。ちょうど幕末から明治維新にかけてのころです。

　直接対決したわけではありませんが、ビスマルク体制を作ったビスマルクと、その間に近代国家日本を作った大久保利通や伊藤博文らは、いわばライバルです。彼らが何をどうしたのか、同時代のドイツと日本を同時並行で確認していくとしましょう。

普丁戦争（プロイセンVS.デンマーク）と馬関戦争（長州VS.英仏米蘭）

　ヨーロッパ北部で北海とバルト海を分けるユトランド半島は、スカンジナビア半島に向かって突き出ている場所です。ユトランド半島は現在、北部はデンマーク、南部はドイツです。半島の付け根にあったのが、シュレースヴィヒ公国とホルシュタイン公国です。両公国には昔から両者は不分割な地域との意識から、分割されるのを嫌う感情があります。それまで、両公国はデンマーク王国と同君連合にありました。ここでの同君連合とは同じ1人の王様を君主とするけれども、別々の国という意味です。

また、両公国は言語的に見ると概ね、ドイツ語圏です。北のシュレースヴィヒの方は大きく分けて、デンマークに近い北部はデンマーク語、ホルシュタインに近い南部はドイツ語が使われていました。南のホルシュタインではほぼドイツ語です。言語からすれば、両公国は「ドイツ」なのです。

当時のデンマークでは国威発揚を絶叫する右派勢力が強く、オーストリアとプロイセンを挑発します。煽られたデンマーク政府は、シュレースヴィヒ公国を併合しようとします。そのために憲法を改定し、その憲法が議会の承認を得て、１８６３年に成立しました。身の程知らずの挑発です。

かつてのデンマークは、ヨーロッパの大国でした。しかし、２５０年以上も昔のデンマーク最盛期のクリスチャン４世のころならいざ知らず、この時代のデンマークはハプスブルクのオーストリアにはもちろんのこと、プロイセンにさえ到底及ばない小国です。デンマークは、クリスチャン４世の栄光を取り戻そうと、妄想を抱いてしまったのです。

事の発端は20年前の１８４８年です。１８４８年といえば、マルクスとエンゲルスの『共産党宣言』が出版され、同時にヨーロッパ各国において「諸国民の春」といわれる革命が相次いで起こった年です。シュレースヴィヒ、ホルシュタイン両公国にも革命臨時政府ができ、それを支持するプロイセンにデンマークが反発しました。そこへロシアとイギリスが介入し、１８５２年の

シュレースヴィヒ、ホルシュタイン両公国（ユトランド半島の位置）

ロンドン会議で両公国は元の状態、すなわち、デンマークとの同君連合関係に戻るとされたのです。プロイセンも英露両国には逆らえません。小国デンマークとしては外交上の大勝利です。

それにもかかわらず、何が気に食わないのか、シュレースヴィヒ公国併合の動きです。これは、明らかにロンドン条約に違反していました。

1864年、プロイセンはオーストリアを誘い、デンマークを叩きのめすことにします。それが、普丁《ふてい》戦争です。「丁」は、デンマークの漢字表記「丁抹《デンマーク》」からです。

当時のデンマークはプロイセンでも、オーストリアでも、どちらか一国にでも太刀打ちできないような小国です。ましてや2国相手ですから、ひとたまりもありませんでした。

同年締結された講和条約で、シュレースヴィヒ、ホルシュタインはプロイセンとオーストリアの共同管理下に置かれます。そして、翌年1865年には普墺間の協定で、シュレースヴィヒはプロイセンに、ホルシュタインはオーストリアにそれぞれ組み入れられました。ちなみに、ホルシュタインは乳用牛ホルスタインの原産地です。

そのころの日本は、馬関《ばかん》戦争の真只中です。その前年の1863年、長州が下関に停泊中のアメリカ船をはじめ、英仏米蘭の四国連合艦隊の軍艦17隻が下関に大規模な攻撃をかけてきました。フランス、オランダの船に砲撃したことへの報復です。結果、長州は惨敗します。ちなみに、馬関とは下関の古称「赤間関《あかまがせき》」を「赤馬関」とも表記したところからの別称です。

前章で見た薩摩に続き、長州も攘夷など不可能と悟ります。日本は薩英戦争、馬関戦争で、改革の機運が芽生えたわけです。

なお、長州は馬関戦争を戦っている最中に、幕府の追討を受けます（第一次長州征伐）。こちらの方は、戦わずに降伏しました。

7週間で決着！　華麗なる普墺戦争（プロイセンVS.オーストリア）

さて、ビスマルクはデンマークをドイツから首尾よく追い出し、ドイツ統一に向けた次の一手は、オーストリア追い出しです。

ドイツでは北のプロテスタントと南のカトリックは文化が違います。南のカトリックを代表するのはハプスブルク家です。これをバイエルンが支持します。ハプスブルク家はカトリックを代表するだけではなく、ドイツを代表する最大の名門です。

ドイツでの両者の格の違いは、歴然としていました。ただビスマルクは、世の中は家格ではなく、実力で決まると信じています。

ビスマルクはデンマーク戦争が終わった直後から、念入りに対オーストリア戦争の準備を進めます。国を富ませ、兵器を整え、訓練を怠らない。そして、隣の大国であるフランスへの根回しも忘れず、皇帝ナポレオン3世との友好に努めていました。

1866年、普墺戦争が勃発します。きっかけは、オーストリア管理下ホルシュタインでの反プロイセンの動きでした。ビスマルクは、これを見逃しません。最初から戦争する気満々で準備を整え、戦争の口実を待っていただけです。ホルシュタイン問題が発生してから戦争準備を始めるオーストリアを圧倒します。

普墺戦争の別名は「七週間戦争」です。文字通り、7週間で終わったからです。開戦から講和の締結まで、とにかくすべてが迅速でした。ただ、ビスマルクは、参謀本部が首都ウィーンを占領したいと要求するのを聞き入れず、プラハで講和条約を結びます。次の戦争を見据えてのことでした。

なぜ、それほどまでに急いだのか。中立を密約していたとはいえ、戦争が長引けばナポレオン3世が干渉し、ドイツ統一を邪魔しにくるのは必至だからです。また、不必要に叩きのめすよりは寛大な講和の方が、将来のフランスとの対決の際に、復讐を恐れなくて済みます。

ビスマルクはオーストリアに「ドイツから出ていくこと」の一点だけを呑ませ、賠償金もとらず、軍事占領もしませんでした。

戦後、プロイセン中心の「北ドイツ連邦」を結成します。これをハプスブルク家が認めることが、唯一の講和条件でした。勝ったプロイセン（特に軍人）は不満ですし、負けたハプスブルクも不思議がりますが、ビスマルクは次の戦争を考えていました。

高杉晋作の「武備恭順」の意義

そのころ日本は、幕末動乱が本格化しています。

馬関戦争の敗北で攘夷などできないと思い知らされた長州は、それまでの尊王攘夷を転換します。高杉晋作は「武備恭順」を主唱します。

晋作は、長州の若者です。それなりの名門の子息でしたが、政治に関与できるような立場ではありません。しかし志を立てて、藩校の明倫館で学んでいましたが、松下村塾の吉田松陰の門を叩きます。今で言うと偏差値が高い名門高校を自主退学して、名前も聞いたことがないような塾に通うようなものです。

師の松陰は政治活動にのめりこんで最後は処刑されますが、晋作は世の中の形勢を観察しつつ、己と国が何をなすべきかを考えます。

結論が「武備恭順」でした。

当時の日本人は、「尊皇攘夷」が当然と考えていました。

日本は神話時代から、自分たちの土地を外国人に好き勝手にさせたことはありません。それを幕府は夷狄《いてき》（野蛮な外国人のこと）に脅されて、開国してしまった。だから、天皇陛下を中心にまとまるしかない。では、誰が天皇の下で中心になるか。

250年間、日本を支配してきた幕府の官僚たちは、自分たちであるのが当然と考えます。徳川や徳川親藩その他の大名たちも、自分を参画させろと主張します。多くの人たちが権力を握ろうとして、人間関係が複雑に絡み合います。

しかし、「外国から日本を守る」という、大事な目的には一歩も進んでいません。

外国に媚びなくていい国を作る方法は簡単です。軍事力を強くすることです。軍事力を強くするには、経済力を強くすることです。合わせて、富国強兵です。しかし、当時の日本は外国を追い返す、攘夷を行う力はありません。しかも幕府や大名は勝手気ままで、まとまりがありません。

高杉晋作

吉田松陰

ならば、今は戦うことはできない。恭順するしかない。しかし、その恭順は徳川幕府がやっているような、その場しのぎの恭順ではなく、いつか外国を追い払う時間稼ぎでなければならない。武備を蓄えるための恭順でなければならない。だから、「武備恭順」です。

晋作は松下村塾で「飛《ひ》耳《じ》長《ちょう》目《もく》」の大事さを習いました。本を読んで考える力を蓄え、世の中で何が起きているかを知り、そして己が何をなすべきかを考えよ、との意味です。実際、松陰はやりすぎる所もあって、最新情報を知ろうと違法なやり方に手を染めたこともありました。

晋作は師の行動を反面教師としながらも、最も大事な教えを守り、機を待ちました。その教えとは、「死して不朽の見込みあらばいつでも死すべし、生きて大業の見込みあらばいつでも生くべし」です。命には懸け時がある。晋作は、いつ命懸けで戦うか、機会を待っていました。

　馬関戦争の後、晋作は長州を追われていました。高杉は馬関戦争を起こした「正義派」に属していましたが、誰も引き受けない講和交渉を買って出て、裏切り者呼ばわりされていました。高杉の亡命後は、「俗論派」と呼ばれる人たちが長州藩の権力を握りました。ちなみに、「正義派」「俗論派」は、高杉の命名です。

　俗論派は、現状で満足している人たちでした。彼らは、「そもそも、なぜ長州が日本の政治に口を出す必要がある。幕府に盾突いて、戦をして叩きのめされてまで。死人を出して、金が無くなるくらいなら、国の政治にモノを言わないで、おとなしくしていればいいではないか」と考えていました。

松下村塾

　現に正義派は、天皇を拉致しようと宮中に殴り込みをかけ（禁門の変。蛤御門の変とも）、返り討ちに遭ったあげくに、幕府から長州征伐を受けます。この時、幕府軍の参謀だった西郷隆盛のとりなしで降伏を許されましたが、逆賊認定されます。
　さらに、外国を砲撃して返り討ちに遭い、馬関戦争で下関を火の海にされる。
　正義派は日本中と世界中を敵に回しただけではないか。

常識論です。

ただし、この人たちの言う通りにすれば、日本は滅びます。そして俗論派は、正義派が買ってきた軍艦を幕府に引き渡そうとしました。もし引き渡してしまえば、長州は二度と日本の政治に発言できなくなります。

なお高杉は、宮中への殴り込みにも、外国船砲撃にも反対でした。晋作自身は無鉄砲に見られましたが、絶対に勝ち目のない、その場の気分を満足させるだけの行動には常に反対でした。戦うからには、勝たねばならない。

晋作は密かに長州に舞い戻り、仲間を説きました。しかし、誰も聞く耳を持ちません。「今、どうやって俗論派に対抗できるのか」「時期を待つべきだ」云々。

志士時代の伊藤博文

高杉晋作（左）と伊藤博文（右）

元治元年12月15日、西暦では１８６５年１月12日です。

この時、晋作は満26歳。「自分と一緒に決起する者は、功山寺に集まれ」「今の長州は間違ってい

長州藩士時代の井上馨

る。そのことを、殿様に伝えに行く。殿様のもとにたどり着く前に殺されるだろう。それでも構わない」と檄を飛ばしました。「一里行けば、一里の忠。二里行けば、二里の義」と。

1里は4キロです。

その日、真っ先に駆けつけた若者が伊藤俊輔。後の初代総理大臣、伊藤博文です。伊藤は高杉に言われて、自分の友達30人を連れてきました。さらに50人の友達がいる石川小五郎（河瀬真孝）にも声を掛けます。ようやく80人の仲間が集まりました。

噂を聞きつけて、多くの若者が集まります。山田顕義、前原一誠、品川弥次郎、山縣有朋ら、後に明治政府で要人となりますが、当時は名も無き若者が馳せ参じた。暗殺未遂で重傷を負っていた井上馨もやってきました。これでようやく、２００人。

３０００人の正規軍を相手に戦いを挑みます。激戦の末、高杉は勝利しました。今では「回天義挙」と評されています。ただ、この時、高杉晋作の身は既に結核に蝕まれていました。ここから高杉の余命は2年です。

しかし、志は受け継がれました。

しがらみだらけで動けない慶喜と薩長同盟

長州では、俗論派が一掃され、正義派の政権が樹立します。政治は桂小五郎（木戸孝允）が、軍事は大村益次郎が主導することとなります。

こうした動きを苦々しく見ていたのが、徳川慶喜です。この時、慶喜は朝廷と幕府、すなわち日本の政治を実質的に切り回していました。ただし、グルグル回していただけです。慶喜は1862年以来政権を握っているのですが、「富を蓄え、強い軍隊を作る」に、一歩も近づいていません。それどころか「強い政府を作る」こともできません。慶喜自体がその障害なのですが、もはや徳川幕府は古いしがらみで、身動きが取れなくなっていたのです。

しがらみとは何か。既に利権を持っている人たちの人間関係です。

江戸時代を通じて身分

木戸孝允

大村益次郎

制社会でした。上には天皇を頂点として公家がいますが、この人たちは政治から遠ざけられています。実際に政治を行うのは、徳川将軍家です。

将軍家に次ぐのが、尾張・紀伊・水戸の御三家。さらに、一橋・清水・田安の御三卿。他に、徳川家康の旧姓である松平を名乗る一族がいます。それに、関ヶ原以前から徳川家康に従っていた譜代大名とその他の外様大名。特に権力を握っているのが一部の譜代大名なのですが、他の人たちも政治に参加させろと争い、くっついたり離れたりしていました。そうした複雑に絡み合った派閥の中心に慶喜がいたのです。

徳川慶喜

慶喜は名門で、頭脳明晰で、喧嘩も強い。誰もが認める、実力者でした。ただし、現状をグルグル回しているだけで、「日本を守る」という問題を、一寸も解決に向かわせていません。その慶喜からしたら、自分に盾突く長州は生意気で仕方がないのです。慶喜は一部の側近だけで権力を固め、他の人たちを排除しようとしていました。

こうした慶喜を内心で苦々しく思っていたのが、外様大名最大の実力者である薩摩藩の重役である、大久保利通でした。大久保は盟友の西郷隆盛と組んで、討幕を決意します。慶喜がいる限り、日本は絶対に外国に媚びないで済む立派な国にはなれない。

大久保は長州で正義派の政権が確立したのを見逃しませんでした。西郷が木戸と交渉し、密約を結びます。

大久保利通

西郷隆盛

1866年1月21日、薩長同盟の成立です。

ただし、倒幕に動き出した薩摩と長州が表立って一緒になって、徳川幕府と戦うわけではありません。長州が幕府と戦う場合、薩摩は中立を守るとの約束が交わされただけです。孤立無援の長州にとっては、それでも希望の光でした。薩摩は幕府に黙って、武器を長州に回しました。露見したら、薩摩も討伐の対象になっても仕方ありません。それも覚悟の上で、大久保は長州を支援しました。

6月、慶喜は長州征討を宣言します。第二次長州征伐の開始です。

薩摩は出兵命令を拒否しました。大久保は「出兵の目的は何だ？」と論難し、慶喜の側近たちは答えられず、「とにかく命令だから兵を出せ」としか言えません。この調子で慶喜は権力を使って諸大名から兵を集めますが、士気は上がりません。

島津久光

毛利敬親

慶喜は長州に、四方から攻め込みました。四《し》境《きょう》戦争の開始です。数に優る徳川軍に対し、長州軍は大村益次郎の神業的な用兵で対抗しました。大村はナポレオンの戦いを研究し、短い時間で訓練し、「散兵戦術《さんぺいせんじゅつ》」を実践しました。単純に言うと、素早く動いて陣地を確保して、徳川の鎧を着た兵に大砲を打ち込む。自分たちの方は軽装なので、さっと散って、すぐに戻ってくる。これを緻密に組み合わせたのが散兵戦術です。言うは易く、行うは難しの戦法ですが、大村は使いこなしました。

7月、第14代将軍徳川家茂《いえもち》が21歳の若さで死去し、慶喜はそれを理由に長州征伐を中止します。長州の勝利です。

これを見た大久保と西郷は、長州との同盟を「いける！」と判断し、薩摩全体を長州との全面的軍事同盟に持っていきました。最後は、薩摩の島津久光と長州の毛利敬親を引き合わせ、薩長は運命共同体としての誓いを立てます。

ただ、長州が一時的に勝利したとはいえ、徳川の底力は健在です。徳川は７００万石。対する薩摩が77万石で、長州は35万石。単純計算で7倍の戦力差です。

慶喜は自ら後継の将軍になり、急速に幕府を立て直します。これは、慶応の改革と呼ばれます。薩英戦争の和睦以来、イギリスは薩摩を支援し、今度は長州にも肩入れします。慶喜は対抗しようと、フランスを引き入れ、最新式の西洋式軍隊を編成します。その他、種々の改革にも着手しました。

慶喜が行う改革に多少なりとも成果が見え、時の流れのなかで長州の勝利がほぼ忘れられかけるのと並行して、やはり日本は徳川の天下だとの空気が日本中を支配し始めます。

それでも、大久保らは慶喜と幕府の打倒に邁進します。徳川を倒さなければ、ヨーロッパの列強に日本が呑み込まれてしまうからです。徳川幕府は小手先の改革ばかりをやるだけなので、それでは外国の脅威から日本を守るなど無理です。

ナポレオン３世から贈られた軍服姿の慶喜

徳川幕府の小手先の改革を３つばかり挙げておきます。

一、参勤交代の緩和をどれくらいやるか。

参勤交代は１６３５年、第３代将軍徳川家

光の時代にできた制度です。各大名が定期的に交代で江戸に住みます。大名にとっては負担が重かったので、それを緩和しようというのです。江戸に1年いるのは大変だから、半年で許してほしいといった具合です。一旦は緩和され、また旧来のやり方に戻そうとしたところ、誰もいうことを聞かなかったとのオチがつきました。

二、列藩会議に誰を入れるか。

各藩から代表を選んで会議を設けようとします。結局は、慶喜が将軍になり、有力大名が排除されました。慶喜が最後に信用できるのは官僚でした。慶喜に協力だけさせられて、切り捨てられた会津藩は一番可哀想な目に遭います。排除されたことを不満に思って、島津の殿様は大久保や西郷の進める薩長同盟路線に傾斜することとなります。

三、兵庫開港をどうするか。

孝明天皇は強硬な攘夷派でした。開国したのだって許せないのに、京都と目と鼻の先の兵庫を開港するなど論外です。長く勅許を出しませんでした。一方で諸外国は条約で決めたことなので、一刻も早い開港を求めてきます。慶喜は孝明天皇の絶大な信頼を確保した上で、イギリスなど諸外国に対しては「私しか話をまとめられませんよ」と、引き伸ばします。ちなみに、孝明天皇が崩御して明治維新が直前に迫った時に、兵庫は開港されました。

慶喜は、天皇と大英帝国の、両方を天秤にかけているのです。大した政治力です。

当時の人の常識では、「そんなこと、慶喜さんしかできない」なのです。

しかし、それが何になったのでしょう。明治維新ができてしまえば参勤交代どころか大名の制度すらなくなりました。

兵庫（神戸）は今でも外国人街が栄えているように、開港するかどうかを幕末の最後の5年間、最大の政治課題だったことすら忘れられています。何より、慶喜のやったことは「富国強兵」に何の関係も無いのです。

世界の状況を考えれば、それどころではないはずなのですが。些末な案件に時間を費やしているうちに、事態は急激に動いていきます。

孝明天皇

慶喜中心の公議政体論が駄目だった理由《わけ》

西暦1867年1月30日（慶応2年12月25日）、孝明天皇が崩御します。孝明天皇がお亡くなりになっても、朝廷の中心人物は皆、親慶喜派です。トップである関白二条斉敬《にじょうなりゆき》は、16歳と若い明治天皇の即位で摂政の地位になりますが、役職の名前が変わっただけです。

朝廷での薩摩の代理人は岩倉具視《いわくらともみ》ですが、朝廷では下っ端です。怒りを被って謹慎していたのですが、崩御直前の孝明天皇に許されたばかりでした。

長州の代理人の三条実美《さんじょうさねとみ》に至っては、1863年8月の政変（八月十八日の政変）での失脚で逆賊とされ、京都にさえ入れない始末です。だいたい、長州自体が禁門の変で御所に発砲して以来、逆賊です。

薩摩の大久保利通がほとんど藁にもすがる思いで、岩倉具視を使った朝廷工作を仕掛けます。岩倉具視のような中級の公家が何を言おうが、朝廷の主流は二条摂政を頂点とする親慶喜派です。慶喜の天下であるのは明白です。この時点では。

外国に対するためには、天皇を中心にした強い政府を作らなければダメだと、日本人全員がわかってはいるのです。では、強い政府を作る中心はといえば、誰もがそれはやはり慶喜さんでなければダメだろうと考えています。大久保利通と盟友の西郷隆盛以外は、みんな。一緒に戦っている長州だって、行きがかり上、徳川に徹底抗戦していますが、本当に勝てるとは思っていないのです。

多数派は、慶喜を中心にまとまろうとします。慶喜が将軍であってもなくても、慶喜抜きの政治はあり得ない。これまでの徳川と官僚だけの独占ではなく、天皇の名のもとに慶喜を中心に、公家以下、大名、下級武士に至るまで有意の人材は皆入れてやるから、「みんなで仲良く談合しよう」という体制を作ろうとしたのが、慶喜と取り巻きの構想です。これを公議政体論と言います。

慶喜の周りには、さすがに権力を握っているだけあって、日本有数のインテリが集まってきます。世界の最先進国のイギリスのような憲法や、議院内閣制を研究し、内閣の大臣たちが統御する官僚機構を構築しようと考え、実際に着手していました。

岩倉具視

徳川２５０年を通じて５人の老中があらゆる問題を話し合いで決めていたのですが、慶喜は担当の仕事を決めました。総括、財政、外交、陸軍、海軍です。今で言うと将軍の慶喜が総理大臣、総括は官房長官、他に財務・外務・陸軍・海軍の各大臣です。今の官僚制の原型は、慶喜にあります。

慶喜は何もしなかった訳ではないのです。しかし、この程度の改革では、諸外国の猿真似をしているだけで、日本を強い国にする話にはなりません。幕府内の機構いじりにすぎません。税金は全国で各藩が勝手にとっていて、中央政府の財源はありませんし、佐賀や宇和島などの各藩は、殿様が黒船を作っています。では外国と戦争になった時に、その黒船を誰が使うのかとなると、なんとなく征夷大将軍の慶喜だろうとみんな思っているのですが、日ごろから慶喜が使う訓練をしている訳ではありません。

インドのムガール帝国は、イギリスよりも大きな国でした。しかし、皇帝の威令は全国に及ばず、各地にはマハラジャと呼ばれる王様がいました。マハラジャは「藩王」とも訳されます。ちょうど、将軍は最大の領土を持っているけれども、大名が自分の領地で勝手に年貢を取り、軍隊を持っているのと同じでした。インドとして1つの塊にまとまればイギリスに対抗できたかもしれませんが、事実は各個撃破されました。

そう言えば、水野忠邦も幕府の権力を強めようと、大名の領地を取り上げようとして失脚させられました。インドの皇帝がマハラジャの領地をとりあげられなかったように、水野忠邦も徳川慶喜も大名の既得権益である領地を取り上げられませんでした。

しかし、それをやらねば、日本は滅びます。

それでも大久保利通は勝った

薩長は明確に慶喜打倒です。自分たちの方が弱いにもかかわらず、武力を用いて慶喜を倒そうと狙います。そのために、朝廷と雄藩を巻き込もうとします。

切り札は、朝廷工作です。大久保利通と岩倉具視は、もう5年にわたる盟友でした。大久保は岩倉を頼り、倒幕の密勅を得ようとします。軟弱者揃いの公家のなかにあって、岩倉はヤクザのような切れ者です。岩倉と大久保のコンビは、薩摩のカネと居直りヤクザの恫喝で工作していきました。

ところが慶喜は、大久保と岩倉が自分を逆賊認定しようと工作しているのを知っていて、先手を打ちます。政権を天皇にお返ししました。大政奉還です。

大政奉還は慶喜が仕掛けた罠でした。

政権を天皇にお返しすれば、朝廷には、徳川幕府を討つ大義名分がなくなります。慶喜も逆賊にならずに済みます。即位したばかりの明治天皇はまだ若く、さらに朝廷側に付いた薩長に政権担当の実務能力があるとは思えず、たちまちのうちに政権運営は行き詰まるでしょう。そうすれば、官僚機構を味方に付けている自分を頼らざるを得ない。これが慶喜の描いたシナリオです。

ところが、大政奉還をした慶喜を討つ大義名分がなくなったかにみえたとき、大久保は慶喜に辞官納地を迫るなど、慶喜を挑発します。中間派の連中も多く、双方の多数派工作が続きます。

慶應3年12月9日（1868年1月3日）、小御所《こごしょ》会議では岩倉具視は恫喝で慶喜派を黙らせます。「言うことを聞かねば、大久保や西郷が慶喜派の大名を暗殺するぞ」との噂を流したのです。御所の周りを薩摩の兵が囲んでいます。慶喜派は大名の自分たちに手をかけるなどありえないと油断していたのですが、岩倉・西郷・大久保は躊躇しませんでした。本気の殺意に押された慶喜派の大名たちは、その場では言いなりになるしかありません。

大政奉還

王政復古の大号令が出されました。「神武創業の精神」に戻る宣言です。神武とはもちろん、初代天皇の神武天皇のこと。摂政関白将軍の制度が無い時代に戻るとの意味です。この瞬間、理論上は幕府が消滅したことになります。

しかし、慶喜は引き下がりません。現実に官僚機構は存在し、軍隊も残っています。大久保らが「王政復古」を宣言しても、新政府には薩摩の兵がいるだけです。江戸時代を通じて朝廷は政治に関わっていないのですから、官僚機構も存在しません。

慶喜は、新政府では現実の行政が回らないだろうと読んだのです。実際、盛り返しました。そして、岩倉具視までが買収されました。慶喜から「孝明天皇の慰霊祭の費用にお使いください」と大金が岩倉のもとに届きました。人を買収する賄賂にこそ大義名分が必要ですが、慶喜の意思は明確です。すると、岩倉は急に弱気になります。

万事休すか？

ところが、ここで大久保は岩倉のネジを巻きます。自分と慶喜、どちらにつくのか？　一時は心が揺れた岩倉も、今さら慶喜に買収されても大した地位を貰えないと思い直します。筋を通さず、目先の金に転んで長年の親友を裏切る人間を、昨日まで敵だった人間が信用するか。少しだけ心が揺れた岩倉も、思いとどまりました。

大久保は、慶喜を戦いに引きずり出そうと、さらに勝負手を放ちます。

西郷隆盛は、慶喜のおひざ元の江戸に工作員を送り込み、火付け強盗などをさせて、荒らしまわりました。

戦国時代、「焼き払い」と言って、城に籠って攻めてこない敵の城下町を荒らして、住民に領主としての統治能力の欠如を示すという挑発がよく行われていました。慶喜は挑発に乗らないよう厳命しましたが、自身は江戸ではなく大坂にいます。西郷は江戸に慶喜がいないので、徳川の武士たちは屈辱に耐えられずに反撃してくると見做していたのです。案の定、江戸を守る徳川の武士たちは西郷が放った工作員たちを捕らえ、さらに軍を率いて上京してきました。こうなると慶喜も戦わざるを得ません。

慶應4（1868）年1月3日、京都に入ろうとする徳川軍3万を、薩長軍1万が迎え撃ちます。この期に及んで徳川は薩長の3倍の兵を集めました。大久保は「この10年の苦労が土崩に帰す」と天を仰ぎました。まさか、ここまで大差になるとは思いませんでした。というのは、薩長と一緒に戦うはずの土佐が「これは徳川と薩長の私闘だ」と中立を決め込んだのです。他の藩も同様で、薩長単独で戦わざるを得ませんでした。土佐からは独断で板垣退助が兵を率いて馳せ参じますが、居ないよりはマシの程度です。

しかし、徳川を戦いに引きずり出したのは、大久保自身です。ここで怯むわけにはいきません。薩長は、鳥羽伏見に徳川を迎え撃ちました。

戦いは長州の大村益次郎がまたしても神業的用兵を見せて長州が幕府の大軍を翻弄し、西郷隆盛に率いられた薩摩も必死の粘り腰を見せます。1日目は、薩長やや有利の状況でお互いに兵を引きました。

勝負は、この日の夜でした。大久保は岩倉とともに朝廷に対し、錦の御旗を賜るよう要請しました。朝廷はいまだに慶喜派が多数です。多くの公家は、薩長に錦の御旗を渡せば、徳川が勝っ

錦の御旗

た時にどんな仕返しをされるかわからないと渋りました。しかし、目の前で京都の御所を守っているのは薩摩の兵です。守っている彼らが、その刃を自分に向けないとは限りません。実際、岩倉と大久保は恫喝しました。そして強引に錦の御旗を、許可が出たのか出ていないのか皆か混乱状態でよくわからないうちに持ち出しました。その錦の御旗も、大久保と岩倉がこの日に備えて事前に用意していたものです。

鳥羽伏見の戦い２日目の１月４日、薩長に錦の御旗が翻りました。薩長は官軍、徳川は賊軍です。これを見て真っ先に逃げ出したのが、慶喜その人です。総大将の潰走で、徳川軍は総崩れです。

ここに、維新回天はなりました。

ようやくスタート地点の維新回天

その２か月後、江戸無血開城が決定され、同日、新政府の基本綱領が発表されました。「五箇条の御誓文」です。

1868年、明治維新。近代日本の始まりです。

間に合いました。いつまでも徳川慶喜がみんなを振り回すだけの江戸幕府が続いていたら、清や朝鮮、インドのように滅んでいたでしょう。

西暦では功山寺決起が1865年、鳥羽伏見の戦いが1868年です。

普丁戦争が1864年、普墺戦争が1866年です。そして、これから起きる普仏戦争が1871年です。

また、19世紀の世界を振り回し、日本も影響を受けたパーマストンの死が1865年。大英帝国も転換期に差し掛かっていました。

日本人の誰も意識しようがないほど必死でしたが、奇跡のような谷間の時間に維新回天はなりました。ヨーロッパ列強は、台頭するプロイセンを戦々恐々と見守っている時期で、ヨーロッパの外に目を向ける暇はありませんでした。日本駐在のイギリスやフランスの外交官は、本国の本格的介入を望んでいましたが、それどころではありません。もし、こうした時期に、慶喜のような「既得権を持つ関係者全員の利害調整をしながら、反発を買わないような改革」などをしていれば、どうなっていたでしょうか。間違いなく、ヨーロッパの問題を片づけた後には、列強が再びアジアに目を向け、小国日本などひとたまりも無かったでしょう。

鳥羽伏見の戦い（高瀬川堤）

鳥羽伏見の戦い（富ノ森遭遇戦）

慶喜自身は孝明天皇以下国内の諸勢力と大英帝国など列強を振り回している気になっていましたが、しょせんはヨーロッパ列強の本国の都合で日本に本格介入しなかっただけです。国防努力もしていないくせに、小手先の小賢しい不誠実な外交で二枚舌を繰り返すなど、この時代では軍事占領されても文句を言えない口実を与えるだけです。

損傷した会津若松城

大久保利通らの鉄の意思と実行力で徳川幕府は打倒され、日本は改革への道を歩むこととなります。ただし、これで日本が救われたわけではありません。ようやく、改革ができる地点に立てただけです。

鳥羽伏見の戦いに始まる戊辰の役は、翌年まで続きます。

慶喜はおとなしく降伏し、大久保や西郷も許しました。2人も別に慶喜個人が憎かった訳ではなく、徳川の支配では改革ができないから排除したのです。慶喜の命までは取りませんでした。

その後、あきらめきれない徳川の残党が徹底抗戦しますが、官軍は東海道を西から攻め上り、江戸を無血開城させた後、上野寛永寺の戦い、会津城攻略、そして北海道の五稜郭を陥落させて内戦を終結させました。

この時、会津などはプロイセンを頼ろうとしましたが、ビスマルクが日本の内戦に口を出す理由がないのは自明でしょう。こんな時に遠い日本の問題で、イギリスやフランスと外交問題を起こす訳にはいかないからです。

日本が鳥羽伏見の戦いを皮切りに戊辰の役が戦われているころ、ヨーロッパではビスマルクがフランスとの戦争に備えていました。

ドイツ統一を成し遂げたビスマルク

明治3年にあたる1870年、普仏戦争が勃発します。ドイツ統一の最後の仕上げです。プロイセンはナポレオン3世を徹底的に叩きのめし、勝利しました。むしろ、開戦初頭に皇帝を捕虜にしてしまったので、どうやって戦争をやめるかの計算が狂ってしまうというような逆の誤算もありました。パリ攻略直前にナポレオン３世に降伏を迫るつもりが、その本人が捕虜として自陣にいるのです。今度は軍の要望を抑えきれず、フランスの首都のパリを占領します。

北ドイツ連邦を解消し、オーストリア以外のドイツ諸邦を取り込んで、ドイツ帝国を建国します。ドイツ皇帝はプロイセン国王が兼ねることとなります。

ヴィルヘルム１世の皇帝即位式（ヴェルサイユ宮殿）

そして翌１８７１年、こともあろうに、ドイツ帝国の建国式をヴェルサイユ宮殿の鏡の間でやってのけます。プロイセン国王にドイツ帝国の冠を推戴する役を、一番の親墺派バイエルンにやらせるといった念の入れようです。カトリックの二大名士といえば、一にハプスブルク、二にバイエルンです。一番反対しそうな勢力に大事な役をやらせるのは、古今東西共通です。

悲願であった、プロイセン中心のドイツ統一は成し遂げられました。

今や「名ばかり五大国」から、ヨーロッパ第３位の大国にのし上がりました。普丁、普墺、普仏の３度の戦争に勝ったことにより、英露両国さえも無視できない力を得ました。もしイギリスとロシアが戦えば、ドイツが付いたほうが勝つだけの国力がつきました。すなわち、キャスティングボードを握れる地位にまできました。

ビスマルクは1864年の普丁戦争から普仏戦争が終わる1871年まで、7年で3回も戦争しました。ところが目的を達するや、これ以降「私は平和の使者になります」と宣言します。最初は誰がそんなことを信じられるかと思いながらも、信じさせました。

ビスマルクは好きで戦争をしたのではないのです。国家の為に必要だったから、必要な戦争だけを最小限に行っただけなのです。あらゆる権謀術策を使いましたが、すべて御国のためであり、私利私欲ではありません。

コミューンによってパリ市内に築かれたバリケード

そもそも戦争は危険な大事業です。いかに万全の準備をしても、必ず勝てる保証などないのです。圧勝したように見えるデンマークやオーストリアとの戦いでも、個々の戦闘では両国とも善戦しているのです。フランスとの戦いなど、下馬評ではフランス有利でした。日本は世界最強の陸軍国はフランスだと思い、幕府もフランスの軍事顧問に習って近代化を志し、明治新政府もフランスに大量の留学生を送り込んでいるのです。

ビスマルクは現実主義者でしたから、戦争をすることと、戦争の準備を怠らないことの区別ができていました。そして軍事力は外交の手段であって、本当に使うよりも、使うぞと思わせて使わないのが要諦だと知っていました。

以後のドイツは、経済発展に専心し、20世紀初頭まで世界最先端の科学技術大国として繁栄を謳歌します。

ビスマルク時代のドイツに問題があったとしたら、1人の優秀すぎる政治家にすべてを任せ、他の誰も政治に対して関心を持たなくなってしまったことでしょうか。

一方のフランスは悲惨です。皇帝ナポレオン３世の捕縛により、帝政は崩壊します。敗戦責任をめぐり、フランス人同士が殺し合いを始めます。パリ＝コミューンです。１週間、セーヌ川が血に染まるほどの殺し合いが続きました。ちなみに、最も虐殺が激しかった３日間の死者は、戊辰の役の両軍の死者に西南の役の両軍の死者を足しても、まだ足りません。こうしたことから、日本の明治維新は「無血革命」と呼ばれます。幕末動乱は日本史基準だと「血を流す改革」なのですが、諸外国基準だと「無血革命」なのです。この辺りは、比較の問題です。

奇跡に近い廃藩置県

なお、フランスは大混乱の末に、共和制を選びました。

同じ時期、日本は矢継ぎ早に版籍奉還から、廃藩置県を行っています。版籍奉還とは大名を形式的に政府により任命された知事にすること、廃藩置県は大名から領地を取り上げて東京に呼び寄せ、年金を与えて暮らせるようにすることです。

徳川将軍家を倒しても、全国には大名がいます。

幕藩体制の幕府が無くなっても、藩が残っているので、大名は各地で年貢を取っています。強い軍隊を作ろうにも、お金がありません。だから、廃藩置県で藩を無くし、税を中央の政府に一括して集めようとしたのです。大名から先祖伝来の土地を取り上げるのですから、普通の国では何百年も内乱を引き起こしかねません。

大久保、西郷、木戸は有無を言わせず、一気にやり遂げました。

御所に薩長に土佐を加えた1万人の御親兵を集め、天皇陛下の詔書で廃藩置県を断行しました。全国から大名を無くすような大改革を、1日でやり遂げました。

ほとんどの大名たちは借金漬けだったので、天皇陛下の命令で借金だらけの領国を差し出せば年金暮らしができるので、抵抗が無かったのですが、それにしても大改革です。

なお、大久保と木戸は廃藩置県をやり遂げた後、岩倉を大使にして自ら遣欧使節団として欧米を視察します。そこで、ビスマルクに会っています。

この時、ビスマルクは「国際社会では、国際法だの信義だのは通用しない。あるのは力だけだ」と忠告します。名ばかり五大国から世界の誰も無視しえない大国にのし上がり、世界を牽引する自信にあふれた言葉です。

遣欧使節

大久保は、ビスマルクを政治家の模範としたようです。既に超大国になっていたイギリスは真似しがたい面が多々あったのですが、後発のドイツはお手本にしやすかったのです。産業を興し、経済力を蓄える。蓄えた富を、軍事力に投じる。何より指導者の明確な意思で国を引っ張る。

ビスマルクは、英露両国をも振り回します。超大国に単独で対抗しえないとしたら、外交で補えばいいと考えたのです。

１８７３年、ビスマルクは、独墺露の三帝同盟を結びます。

その目的は大きく２つです。

１つはフランス対策です。ドイツに敗れ、恨みをいだくフランスがロシアと手を組み、ドイツを挟み撃ちにする事態を避けるのが最優先です。

何が何でも、ロシアとフランスを組ませてはなりません。ロシアを抱き込む必要があります。ただし、友邦のオーストリアは慢性的にロシアとバルカン半島で揉めています。墺露両国が良くても、狭い半島にひしめく多くの民族が争いあっているのです。墺露両国は子分のはずのバルカン諸国に振りまわされっぱなしでした。

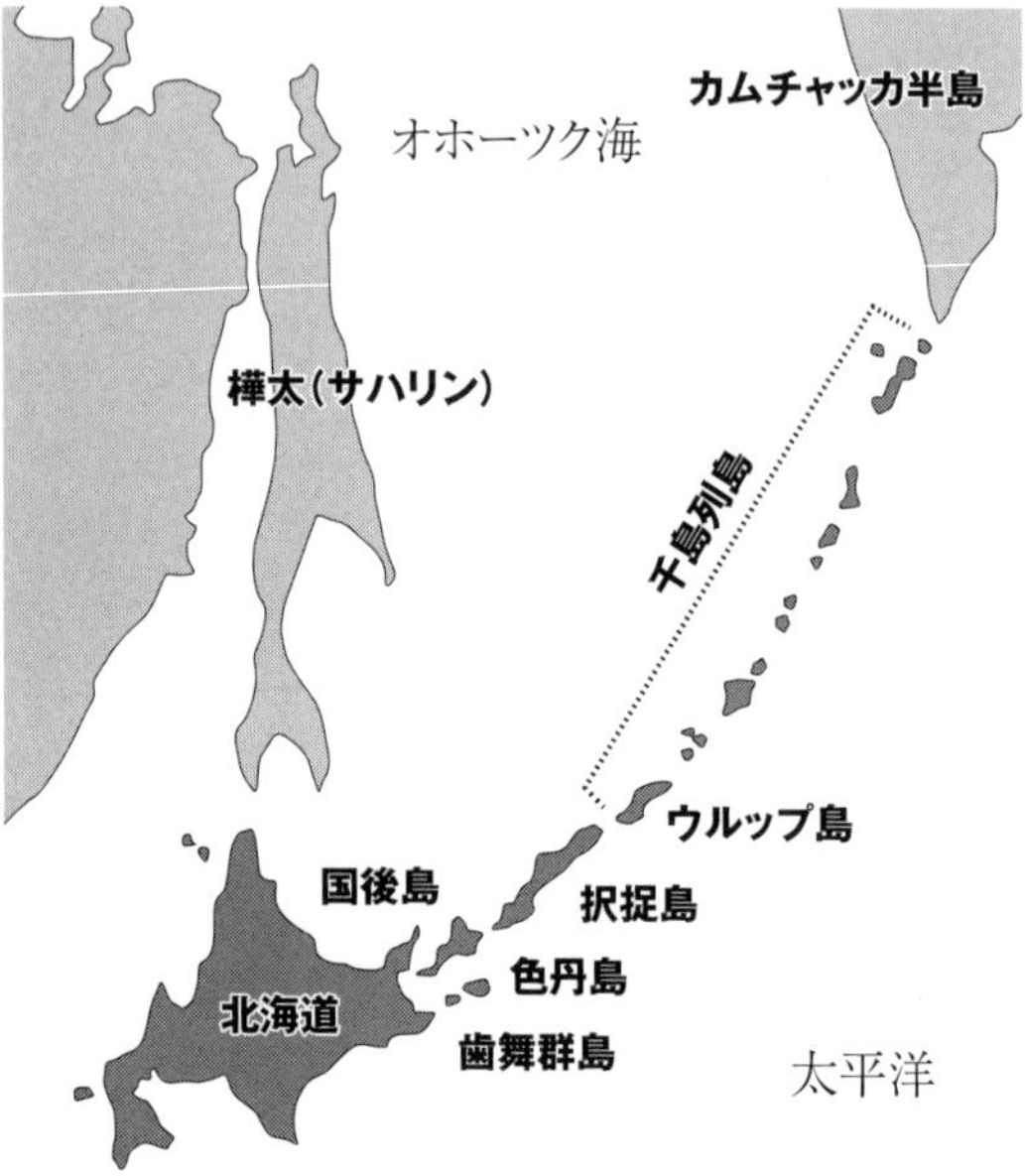

千島樺太交換条約

これをビスマルクは力づくで「平和のためだ！」と押し切り、手を結ばせたのです。もちろん、ドイツの都合ですが、「バルカンで戦争を起こさせない」は墺露両国にとっても都合が良かったからです。ただし、一筋縄ではいきません。

1875年、日本はロシアと千島樺太交換条約を結びます。たった15年前には、小国アメリカの黒船に脅されて開国せざるを得ないような状況でした（細かい実情は前章の通りですが）。それが、大ロシアと対等条約を結びました。これは全権大使としてロシアに乗り込んだ榎本武揚のたぐいまれな交渉能力もありますが、国際情勢の変化もありました。

この年は、バルカン半島でロシアとトルコの緊張が高まっていました。ロシアは極東で揉め事を起こしたくないと読んで、榎本は強気にまくしたて、国境が画定していないが故に引き起こされた多くの事件を取り上げ、「国際法を守れ」と要求したのです。

幕末の日本は「お前たちは文明国ではない」と不平等条約を押し付けられたのですが、榎本は「お前たちこそ我々に押し付けた文明の法（国際法）を守れ」とやり返したのです。単に正論を押し通しただけでなく、現実の力学を読み取っていたから可能でした。こうした力学を「地政学」と言います。

榎本武揚

１８７７年２月、日本最後の内戦となる西南の役が起こります。大久保の進める改革に全国の武士たちが不満を持ち反乱を起こし、最後の最後に日本で一番人望がある西郷が担ぎ出されたのでした。大久保は竹馬の友の西郷を涙ながらに討伐します。９月、西郷隆盛の死とともに乱は終結しました。

バランサー、ビスマルクによる曲芸師外交

西南の役が起こった約2か月後の1877年4月、ヨーロッパでは、露土戦争が勃発しました。セルビアとモンテネグロが始めた戦にロシアが介入して、「ブルガリアを帝国にしろ」とトルコに要求しました。ブルガリアはトルコ領内に住んでいるスラブ人です。サン・ステファノ条約でトルコは認めさせられます。

これに待ったをかけたのが、イギリスとオーストリアです。そこにビスマルクが「誠実な平和の仲介者」を名乗って、関係各国を呼び寄せます。ベルリン会議です。

ロシアは同盟国なので、ドイツが味方してくれると思いました。しかし、オーストリアもドイツの同盟国です。ビスマルクはどちらに付くか。

口では「公正な仲介者」と言いながら、最強国のイギリスの言い分をすべて認めました。自動的にオーストリアの要求が通り、ロシアが求めた「大ブルガリア」は雲散霧消、一応の独立が認められるだけとなります。

事実上は、英墺普によるロシアに対する「三国干渉」です。

ビスマルクは、ロシアとイギリスのあいだのバランサーです。

ビスマルクは普段はロシアの味方ですが、いざというときだけはイギリスの味方です。ただし、表向きは1度もイギリスと組んだことがなく、ベルリン会議の翌日からロシアに秋波を送るのですが……。

ビスマルクの曲芸師外交によってベルリン条約が結ばれ、一応の平和が保たれました。ロシアは怒りを抑えて、すごすごと引き下がります。しかし、どさくさ紛れにボスニア・ヘルツェゴヴィナをかすめ取っていったオーストリアには憤懣やるかたなく、三帝同盟を破棄します。それでもビスマルクが対露関係の改善に乗りだすのは、フランスと組まれてはドイツの安全が保障されないからです。

ビスマルクは仲介者として、誰に誠実なのかはわかったものではありませんが、ドイツの国益のためには外国をいいように利用するなど気にしませんでした。そして、ヨーロッパはビスマルクによって平和が保たれるのです。

このように、ヨーロッパは自分たちの問題で精一杯で、アジアになど構っていられない状態でした。

1878年、大久保利通が暗殺されました。紆余曲折の末に、伊藤博文が後継者となります。

1879年、ビスマルクは独墺同盟を結びます。もはやハプスブルク帝国が「名ばかり大国」です。ビスマルクは「同盟とは馬と御者の関係だ」と豪語していました。対等の関係など頭にありません。同盟国と言えど、相手をコントロールすることしか考えない人でした。

1881年、日本では自由民権運動が起こり始めます。国会を開き、憲法を制定せよとの要求です。政府にも反対する理由は無く、調査と研究を始めます。

ヨーロッパではドイツ、ロシア、オーストリアによる三帝同盟が再締結されました。ビスマルクは、何としてもロシアとフランスを組ませたくなかったのです。独墺同盟の力でロシアに圧力をかけ、再び同盟を結ぶ利を悟らせたのです。

翌1882年、ドイツ、オーストリア、イタリアによる三国同盟が結ばれました。独墺同盟にイタリアを引き込んだのです。

イタリアはオーストリアから独立した国で、領土紛争を抱えていましたので、仲が悪い関係です。墺伊関係を調整するのが大義名分ですが、ビスマルクは単なるお人よしではありません。イタリアを抱き込むのは、フランスを牽制するためです。

ドイツがイタリアと同盟を結んでいると、フランスがドイツを攻めようとしたら、フランスはイタリア方面にも作戦を展開しなければなりません。そして、ロシアに加える圧力は、オーストリアの他にイタリアが加わります。

イタリアは地中海のど真ん中に位置しますので、地理的には重要な国です。西のフランス、東のバルカンに睨《にら》みを利かしたのです。

同年、伊藤博文が「立憲政治調査」のため、ヨーロッパに出かけていきます。しばしば、単に「憲法調査」といわれていますが、伊藤が調査したのは憲法条文だけでなく制度全体なので、「立憲政治調査」とも呼ばれています。

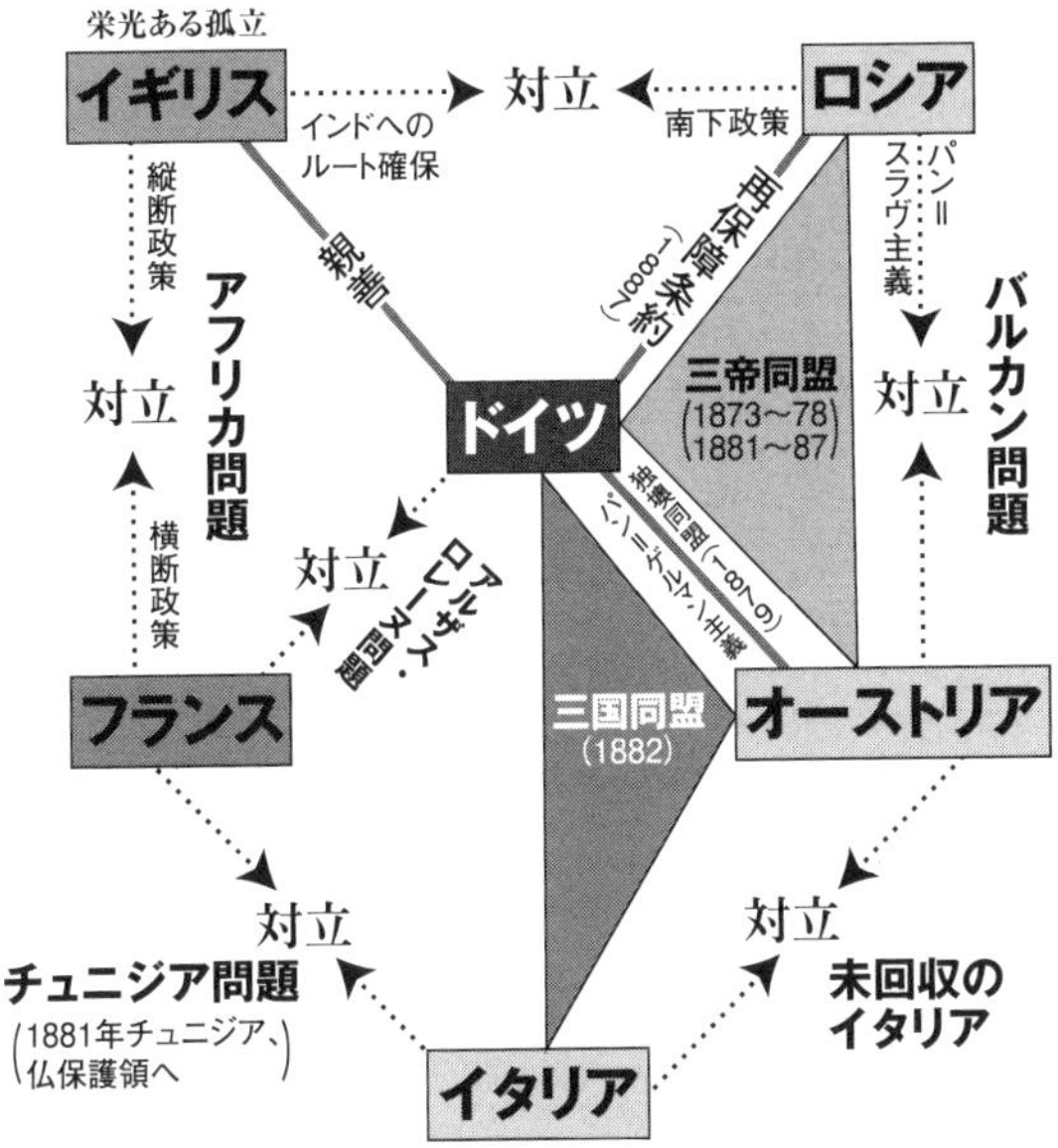

ビスマルク外交による同盟網（1882年～1887年）

これまたしばしば、伊藤はプロイセン・ドイツ流の憲法を学んだと言われますが、ドイツでの講義には退屈していました。本当に感銘を受けたのは、オーストリアのウィーン大学でシュタイン博士に「憲法を作りたいなら他国の真似ではなく、自国の歴史を学びなさい」と忠告された時です。

1884年6月、ベトナムを植民地にしたいフランスと、宗主権を主張する清との間で清仏戦争が起きます。フランスは清を圧倒し、ベトナ

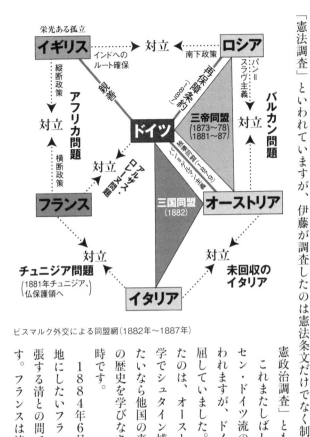

ム・ラオス・カンボジアを植民地にします。なお、この3国は日本人には、南部仏印と呼ばれました。

運が良かった日本はその運を生かした

ビスマルクは、フランスが海外に雄飛するのを歓迎しました。なぜなら、海外で植民地戦争をしてくれていれば、自分への復讐を忘れてくれるからです。南部仏印は、ヨーロッパの都合で犠牲にされたのです。力無き人々の悲劇でした。

同年11月から翌年1885年の2月まで、ビスマルク主催のもと14か国が参加して、アフリカ分割に関するベルリン会議が開かれました。ビスマルクは植民地を持ちません。植民地などはフランスに全部くれてやって、普仏戦争に負けたフランスをなだめようとしたのです。涙ぐましい努力をしているとアピールし、諸外国の少なからずの国がそう思います。しかし、本音ではビスマルクは、植民地はカネにはならないと判断しているので、自分が要らないものをあげて恩を売っているだけのことです。

1887年、ビスマルクはロシアとの関係を結び直す、独露再保障条約を締結します。

ここでは主な条約だけをあげました。ヨーロッパを舞台に結ばれた同盟を詳細に全部列挙できませんが、年単位、ときには月単位で追っていくと、くっついたり離れたりする様子が激しいのが見てとれます。

ビスマルクによって複雑に張り巡らされた同盟は、ドイツにだけは都合よく、同時にフランスにだけは不都合な状況となっていました。

１８８９年、日本は大日本帝国憲法を発布し、皇室典範を定めました。

１８９０年3月、ビスマルクが宰相を辞任します。ドイツ皇帝に就いていたヴィルヘルム２世と事あるごとに対立を繰り返した結果です。

ビスマルクの辞任に、ヨーロッパは衝撃を受けます。

ビスマルク辞任と同じ年の11月29日、日本は第１回帝国議会を開会し、大日本帝国憲法が施行されました。

ビスマルクが台頭したのは、世界の枠組みがウィーン体制からパーマストン体制を経て、そこから変貌《へんぼう》していくときでした。ヨーロッパの秩序がビスマルク体制へと再編されるなかで、ヨーロッパ人がヨーロッパの外には目がいかないときに、日本は明治維新をやってのけたわけです。同様の状況にあって、清や李氏朝鮮は眠り続けました。

日本は運が良かったのかといえば、そうです。運は良かったのです。しかし、その運を活かしたのは、ほかならぬ日本自身でした。

ビスマルクが世界を動かしていた時代、日本人は必死の自己改革を行いました。高杉晋作、大久保利通、伊藤博文……。一人の指導者だけで改革を行ったのではありません。中心となる指導者の周りに多くの志がある人たちが集まって、改革を行ったのです。

問

１８６７年、皆で徳川慶喜さんを中心に政権を作ろうと言って、なんとなくまとまってきました。岩倉具視という、反慶喜派筆頭の人までがお金で買収されました。そんなとき、あなたが岩倉の盟友の大久保利通だったらどうする？

史実では。

自ら運命を切り拓く。

第五章の教訓

昔の日本は頑張った！
頑張った昔の日本人は偉い！

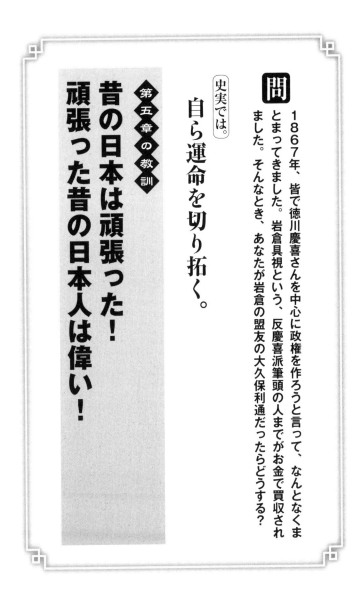

第6章
三国干渉の世界史的意義

問

あなたが、１８９５年三国干渉のときの伊藤博文だったらどうする？

史実では？

臥薪嘗胆。

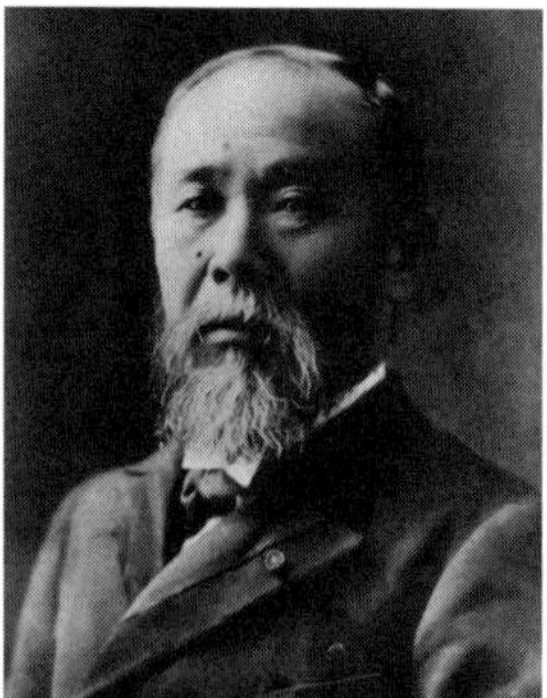

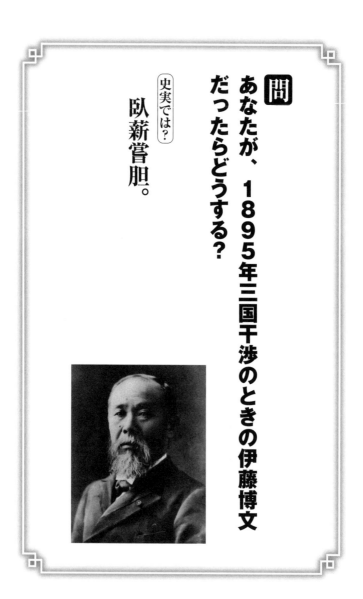

幕末の日本はどういう時代だったのか

幕末の日本は、世界史に巻き込まれました。その時、世界を主導していたのが、イギリスのヘンリー・パーマストンでした。そのパーマストンが首相在任中に死去したのが、1865年。この年から日本は、幕末の大激動を迎えます。

功山寺決起、薩長同盟、四境戦争（第二次長州征伐）、徳川慶喜の将軍就任、慶応の改革、大政奉還、そして鳥羽伏見の戦いに始まる戊辰の役が終わったのが1869年でした。

同時期のヨーロッパで台頭したのが、オットー・フォン・ビスマルクです。ビスマルクは3つの戦争からなるドイツ統一戦争に勝ち、名ばかり大国だったプロイセンをヨーロッパの中心国に押し上げました。3つ目の普仏戦争が終わり、ドイツ帝国が建国されたのが1871年。日本はヨーロッパの変動期の隙間で、奇跡のような自己改革を遂げたのでした。

改革の本番は新政府ができてからです。1871年の廃藩置県で、全国の大名を無くし、東京の政府に税金を集める仕組みにしました。裁判所、警察、税務署など、近代国家にふさわしい政府の機構を整えていきます。必死に産業を起こし、強い軍隊を作ります。「殖産興業」「富国強兵」です。

250年続いた徳川幕府を倒して、改革を進めようとしたのは外国に侵略されないための国創りをしなければならなかったからでした。侵略されないためには軍事力がなければなりません。軍事力を持つためにはお金が必要です。お金がなければ軍隊は作れません。よって、まずは富国。あるいは富国と強兵は同時にやるのが必須です。

富国強兵のために、殖産興業もやりました。富岡製糸場を作り、鉄道を敷き、電信や郵便を導入するなど、いろいろなんとかやって、富国強兵に頑張りました。

富岡製糸場

その間、血も流れました。新政府の改革で特権を奪われた武士たちは、反乱を起こします。士族反乱です。最大の戦乱が、西南の役でした。西郷隆盛は戦乱の中で斃れ、政府を率いていた大久保利通も暗殺されます。

こうした苦難を乗り越え、大久保に代わって政府を率いた伊藤博文は、大日本帝国憲法を制定しました。1889年2月11日に明治天皇により発布され、翌年11月29日の帝国議会開会の日に施行されます。

幕末、「お前たちは文明国ではない」と不平等条約を押し付けられたので、必死に「我々は文明国だ」と改革を続けたのです。帝国憲法は、「これが我々の文明だ」とする日本の主張でした。爪に火を灯すように富を蓄え、贅沢もせずに軍備を整え、西洋流の法制度や科学技術などを取り入れている日本を、西洋列強も認めざるを得なくなりました。ただし、まだまだヨーロッパの五大国の誰にも勝てない小国ではありましたが……。

ドイツ帝国建国以来の20年、ヨーロッパではビスマルクが平和の調停者として振る舞い、大きな戦乱が無く過ごしました。日本は、この貴重な時間を無駄にしなかったのです。

そのビスマルクも、世界の指導者の地位から去る日が来ます。少しだけ時計の針を戻します。

大日本帝国憲法発布式典

伊藤博文

下手の横好き陰謀家、ヴィルヘルム2世

1888年は、ドイツでは「三皇帝の年」と呼ばれます。3月、ビスマルクを登用した、皇帝ヴィルヘルム1世が90歳で崩御します。跡を継いだ息子のフリードリヒ3世も、56歳で亡くなりました。在位99日なので「百日皇帝」と言われます。そして、そのまた息子のヴィルヘルム2世が継ぎました。29歳の青年皇帝《カイゼル》です。

カイゼル（カイザー）とはドイツ語 Kaiser で「皇帝」を意味する普通名詞です。単にカイゼル（カイザー）と言えばヴィルヘルム2世を指します。ついでに言うと、ヴィルヘルム2世は特徴的な髭をしていて、その髭の形は今もカイゼル髭と呼ばれています。日本人でも真似をする人も多くいました。見た目だけは威厳があります。しかし、剛毅な風貌とは裏腹に、実態は優柔不断で、飽きっぽい人でした。

この人物、人格に大きな問題がありました。皇帝に即位して最初の命令が、実の母の逮捕幽閉です。幼いころから虐待されていて仲が悪かった母親に、仕返しをしたのです。いきなり、不穏な空気が漂います。

そして、事件は、1890年に起きました。

ビスマルクはプロイセン首相に就任して以来、もう27年も政権を握っています。さらに、甥を外務大臣に登用し、後継者に育てようとしていました。これにヴィルヘルム2世は「ビスマルク王朝を作る気か？」と猜疑心を抱きます。まったくの誇大妄想が暴走します。

ヴィルヘルム1世

ヴィルヘルム2世

ビスマルクはヴィルヘルム1世の時代、意見が対立すると辞表を提出するのを得意技としていました。

ビスマルクは3つの戦争を勝ち抜き、ヨーロッパの秩序をドイツにだけ都合がいい、複雑怪奇な同盟を築き上げました。「曲芸師外交」の異名を持ちます。「まるで、3つの球を放り投げて落とさない曲芸師のようだ」とヴィルヘルム1世は評していました。ドイツはビスマルクにしか運営できない国になっていたのです。またヨーロッパ、ひいては世界のバランスはビスマルクが保っていました。

これをヴィルヘルム1世は承知していましたから、ビスマルクのやり方に不満があっても、最後は折れたのです。

ところが、若いヴィルヘルム2世は妥協しません。ビスマルクの辞表をそのまま受け取り、引退においやりました。ビスマルク本人も周囲も、唖然としました。すぐにカイゼルは妥協するのではないかとの観測が流れますが、ビスマルクはそのまま引退し、2度と表舞台に出てくることはありませんでした。軽はずみな皇帝のきまぐれで、長く続いたビスマルク時代は終わります。

ヴィルヘルム2世は親政をはじめます。そして、世界中を振り回します。わが日本も影響を受けることとなります。

ヴィルヘルム2世は陰謀家です。しかも、下手の横好きなだけの陰謀家です。思いつきであれこれ首を突っ込み、口を出すだけ出して、あとは丸投げです。結局は、下っ端の官僚がやりたい放題です。そしてカイザーは思い通りにならないとボヤいては次の陰謀に手をつける、そんな繰り返しです。

ビスマルク引退で変わる世界秩序

ビスマルクが曲芸外交で苦心の末に築いた体制は、ビスマルクの引退と同時に早くも綻びはじめます。

ビスマルクが築いた複雑怪奇な同盟網は、ドイツへの復讐に燃えるフランスが、ロシアと結びつくのを防ぐためです。その為にビスマルクは、仲が悪いオーストリアとロシアの手を結ばせたのです。墺露はバルカン半島の問題を巡り常に緊張関係にありますから、ドイツの力で無理やり仲良くさせなければ、すぐに喧嘩を始める関係なのです。

ヴィルヘルム2世は、オーストリアより先にロシアを訪問します。当時の独墺は運命共同体のように結びついていますから、自分を最初に訪問するのが先ではないかとオーストリアは思っています。逆に、重視されたロシアの方は喜びます。期限が切れる独露再保障条約の更新を申し出ます。しかしヴィルヘルム2世は、拒否しました。

ヴィルヘルム2世は、思い付きで他人を出し抜くけれども、出し抜いた後どうするかを何も考えない人でした。

ロシアはたちまちのうちにフランスに接近します。フランスも数十年に及ぶ孤立から抜け出せるのですから、大歓迎です。4年後の1894年には露仏同盟を結び、ドイツを挟撃する態勢を作り上げます。こうしたヨーロッパの動きが、遠い日本に影響を及ぼします。

パーマストンからビスマルク、そしてヴィルヘルム2世へと、世界を牽引する中心の人物が変わっても、変わらない現実があります。

世界の覇権国家は大英帝国であること。そのイギリスに挑戦しているのがロシアであること。

独仏墺の3国が大国であること。名ばかり大国だったプロイセンが台頭してドイツ帝国となり、フランスとオーストリアの力は落ちましたが、ウィーン体制以来の五大国は変わりません。

ビスマルクは、英仏・英露・露墺の対立のバランサーでした。露土戦争で出鼻を挫かれて以来ロシアはヨーロッパへの出口を失っていましたが、フランスとの友好により橋頭保を得ました。ヴィルヘルム2世はロシアが西方に来るのを防がねばならない状況になりました。

「ノックスの十戒」と地政学の基本

地政学の基本は、「隣国の隣国を見よ」です。バルカン以外では、ペルシャやアフガンでロシアはイギリスと争っていましたが、この時期は特に大きな揉め事は見当たりません。しかし、東アジアでは、慢性的に一触即発の争いが続いています。

大清帝国は、領土の面積や人口、そして経済力では、東アジア最大の国でした。その清が、アヘン戦争・アロー戦争・仏清戦争で、ことごとく英仏に叩きのめされています。さらに、隣国のロシアも領土を侵食していました。極東シベリアは、ロシアに奪われます（ちなみに、中華人民共和国は、この地域を取り返すことをあきらめていません）。

ところが不思議なことに、ヨーロッパの五大国は、清を「眠れる獅子」と呼んで、密かに恐れていました。

ヨーロッパがアジアに対して連戦連勝といっても、数百年の現象です。経済力で言えば、19世紀に至っても、清とインドが世界の1位2位なのです。ヨーロッパ列強は軍事的に優位に立っていますが、何億もの人口を抱える大国が経済力を正しく使えば、自分たちの優位が覆されるかもしれないと警戒していたのです。

余談ですが、推理小説には「ノックスの十戒」と呼ばれる原則があるそうです。イギリスの推理作家のロナルド・ノックスが発表したので、この名前があります。面白いので、全部載せておきます。

一、犯人は物語のはじめの方で登場している人物でなければならない。
二、探偵方法に超自然の能力を用いてはならない。
三、犯行現場に秘密の抜け穴や通路を使ってはならない。
四、未発見の毒薬や、むずかしい科学上の説明を要する装置を犯行に利用してはならない。
五、シナ人を登場させてはいけない。
六、偶然や第六感で、探偵は事件を解決してはならない。

七、探偵自身が犯人であってはならない。ただし犯人が探偵に変装して、作中の人物をだます場合はよい。
八、探偵は読者に提出しない手がかりで解決してはいけない。
九、探偵のワトスン役は自分の判断をすべて読者に知らせねばならない。
十、双生児や一人二役の変装は、あらかじめ読者にすべてを知らせておかねばならない。

日本では江戸川乱歩『幻影城』で紹介されたので有名だそうですが、私は藤原宰太郎『世界の名探偵50人』（KKベストセラーズ、1972年）で知りました。ここで紹介したのも、藤原宰太郎訳です。

注目は「五」です。西洋人は、中国人は超能力を使うと思い込んでいたのです。ちなみに「十戒」が発表されたのは、1928年です。どこまで本気だったかはともかく、20世紀にもなってこんな感覚ですから、19世紀のヨーロッパ人が東洋人をどう見ていたかは、なんとなく想像がつくと思います。

特に偏見がひどかったのが、ヴィルヘルム2世です。「黄禍論」を世界中に吹いて回り、日本人への差別と警戒を訴えていました。その時に、「日本人だけなら怖くないが、チャイニーズと組めば白人にも有害である」と訴えたのです。

白人共通の敵を作って、みんなで結束する。実に子供じみた陰謀です。とにかく、ロシアとフランスに挟み撃ちにされたくない心境だけは理解できますが。

現実の東アジアの国々、日本も清も朝鮮も、ヨーロッパと比べたら小国です。客観的に見れば、小国どうしが角突き合わせている状態です。しかしヴィルヘルム２世は、「ロシア君、あっちにいくと獲物がいっぱいいるよ。猛獣ハンティング、楽しいでしょ」とけしかけたのです。

ロシアも、ヴィルヘルム２世の思惑を承知しながら強大なライバルのイギリスを出し抜けるのは東アジアだ！　と乗り出すことになるのです。

そんな事情を理解できようもない東アジアは、どういう状況だったでしょうか。

厄介な隣国、清と朝鮮に振り回される

清はヨーロッパには殴られるたびに拝み倒しますが、日本に対して居丈高でした。そして、清と日本の中間に位置する朝鮮も、清と同じ調子で居丈高になっていました。

日本は直近で２回、朝鮮の内紛に巻き込まれ、朝鮮の実質宗主国である清と戦争になりかけました。１回目は１８８１年の壬午《じんご》事変、２回目は１８８４年の甲申《こうしん》事変です。しかし、そのとき

の日本は戦争するには力が足りないので、外交でなんとか引き分けに持ち込みました。

壬午事変の時は伊藤博文が憲法調査（憲政調査）で外遊中だったので、盟友の井上馨外務卿が収拾しました。甲申事変の時は、伊藤が自ら天津に乗り込み、直接交渉で和議を結びます。天津条約では、「両国は朝鮮に出兵する場合には、互いに事前通告する」と取り決めました。これで一息つきます。

井上馨

慢性的に東アジアの国際関係が緊張する原因は、朝鮮の宮廷内の派閥抗争です。

朝鮮の宮廷では国王である高宗《こうそう》のお嫁さんの閔妃《びんひ》と、父の大院君《だいいんくん》の二派に分かれて争っていました。つまりは、国王の嫁と舅《しゅうと》の争いです。父と嫁の争いに、高宗は他人のフリですから、止める人がいません。しかも、閔妃と大院君はどちらも日本と清を天秤にかけて、何かあるとすぐ頼ってくるくせに、あっという間に裏切ります。さらに、朝鮮は清と一緒になって日本を小バカにし、まったく改革しようとしないばかりか、日本に倣って改革しようとした人を拷問にかけて殺しました。これが、壬午事変と甲申事変のあらましです。

朝鮮にも、日本の明治維新を見倣って、命懸けで改革しようと心がける人もいました。しかし、それが通らないのが当時の朝鮮です。

一万円札で有名な福沢諭吉などは、朝鮮の改革派の金玉均を自宅に匿《かくま》うなど、命懸けで支援していました。その金玉均が清で無惨に殺されたと知るや、「脱亜論」を発表します。朝鮮や清は改革する意思も能力も無いのだから相手にするな、という内容です。

では、なぜ日本にとって、朝鮮半島が大事なのか。

当時は帝国主義の時代です。隣国が他の強国に取られたならば、自分の国の安全は保障されない状況です。いわば、世界中が戦国時代だったのです。朝鮮がロシアにでも取られようものなら、日本の安全は保障されません。

古来、朝鮮半島が敵対的になった時、日本は武器を持って立ち上がるしか選択肢はありません。

福沢諭吉

金玉均

大和朝廷は、東日本の平定よりも先に朝鮮半島の安定化の為に介入しています。聖徳太子も朝鮮出兵を行っていますし、最後は白村江の戦いに至りました。

モンゴルが朝鮮を征服した時は、当時の鎌倉幕府は青年宰相・北条時宗の下で結束して撃退しました。

豊臣秀吉の場合は、日本から攻めていった、歴史上唯一の例外です。

そして、近代日本も朝鮮半島情勢に緊張し続けます。

なぜ日清戦争に勝てたのか

1894年、朝鮮で東学党の乱が起こります。別名、甲午《こうご》農民戦争です。新興宗教である東学の教徒を中心に起こった、農民反乱です。朝鮮は自力では鎮圧できないので、清に鎮圧してほしいと泣きついてきました。ここで清が日本との約束を破ります。清は天津条約を破り、日本に通告しないまま朝鮮に出兵し、その後も居座ります。

筆頭元老にして首相の伊藤博文は、もう清と戦っても勝てると判断し、決戦を決意します。議会開会以来、衆議院は民党（野党）が多数で、歴代内閣は政権運営に苦しめられました。

6月2日、伊藤は閣議に枢密院議長の山縣有朋も呼んで、開戦と衆議院解散を同時決定します。山縣以外の元老は全員が閣僚ですから、この決定は元老会議の総意でもあります。

選挙中の7月25日、豊島沖で日本海軍が清国海軍に攻撃を加えます。この報を聞くや、長年にわたり政府を攻撃してきた民党も、こぞって政府支持に回ります。清の横暴には、日本人の誰もが怒り狂っていたので、長年の鬱憤《うっぷん》が晴れたのです。

長年、日本人は入念に準備と訓練をしていました。清国海軍は、日本の軍艦に体当たりして乗り込もうとします。辮髪を振り回し、青龍刀で殴り込みをかけようとしたのです。古い時代、ナポレオン戦争の時代ならありえた戦い方です。普墺戦争でも海戦は体当たりから始まりました。こうした清に対して、日本は距離をとって体当たりされない距離から、砲撃を加えます。史上初、軍艦同士が接触しない海戦で、日清戦争は幕を開けました。

日本はどうやって勝つかも、最初から考え、30年近く訓練してきました。海軍は、日本列島から半島大陸への輸送路を確保する。黄海から清国海軍を出さない。これを「海上権」と呼びました。今の言い方だと、制海権です。海軍は海上権を確保し、陸軍が半島や大陸で安心して戦えるよう、背後を固めるのが役割です。

山縣有朋

陸軍は朝鮮半島の真ん中の仁川から上陸、そこから朝鮮の首都ソウルまでは1日の距離ですから、一気に王宮を制圧。閔妃や大院君が清と結びついておかしな真似をしないように監視しつつ、北上。清の陸軍を蹴散らしながら首都北京に迫り、和平を強要する。

海軍は通商保護、陸軍は陸戦隊、と決めていました。そして戦い方は任せるが、戦いを始めるのと止めるのは政治家である元老だけが判断する。外交交渉は外交官が助けます。

日本は挙国一致で戦いました。

戦い始めると、日本は陸に海に連戦連勝です。しかも圧勝で、戦いを通じて1人平均35発しか弾丸を使わなかったとか。

伊藤に次ぐ元老の山縣有朋は現地で指揮し、一気に北京を攻略したいと要請してきます。しかし、伊藤はこれを阻止し、なおも主張する山縣を東京に召喚します。

清の陸軍を蹴散らしながら
山縣を傷つけないように配慮していますが、事実上はクビです。
伊藤は普墺戦争のビスマルクの故事を、教訓としていました。単に知っているだけでなく、重要な場面で生かせてこそ、学びです。
軍人にとって、敵国の首都攻略は最大の名誉です。医者が病気を治してすべての患者を救いたいと思うような、本能です。しかし、それをやろうとしたら、余計に大混乱する場合は、誰かが止めねばなりません。政治家、特に総理大臣の仕事です。

普墺戦争のビスマルクは、フランスの介入を警戒していました。仮にウィーンを攻略したら、必ずフランスが介入してくる。それでは、ドイツ統一はできない可能性が高くなります。普墺戦争の時のプロイセンは、まだフランスと戦う力はありません。だから、ウィーン攻略を主張するモルトケの反対を抑え込みました。

干渉してくるのはもちろんロシアだが……

日清戦争の伊藤は、ロシアの介入を警戒していました。仮に北京を攻略したら、必ずロシアが介入してくる。それでは、朝鮮半島安定化はできない可能性が高くなります。日清戦争の時の日本は、まだロシアと戦う力はありません。だから、北京攻略を主張する山縣の反対を抑え込みました。

ビスマルクは、「愚者は経験に学ぶ、予は歴史に学ぶ」との名言を残しています。歴史に学ぶとは、単に法則性を見つけて当て込むだけではありません。人間の歴史に全く同じことが繰り返されることはありませんので、何が違うのかを見極めるのが大事です。

普墺戦争の時、ビスマルクが早めに戦争を止めたことで、フランスは介入できませんでした。

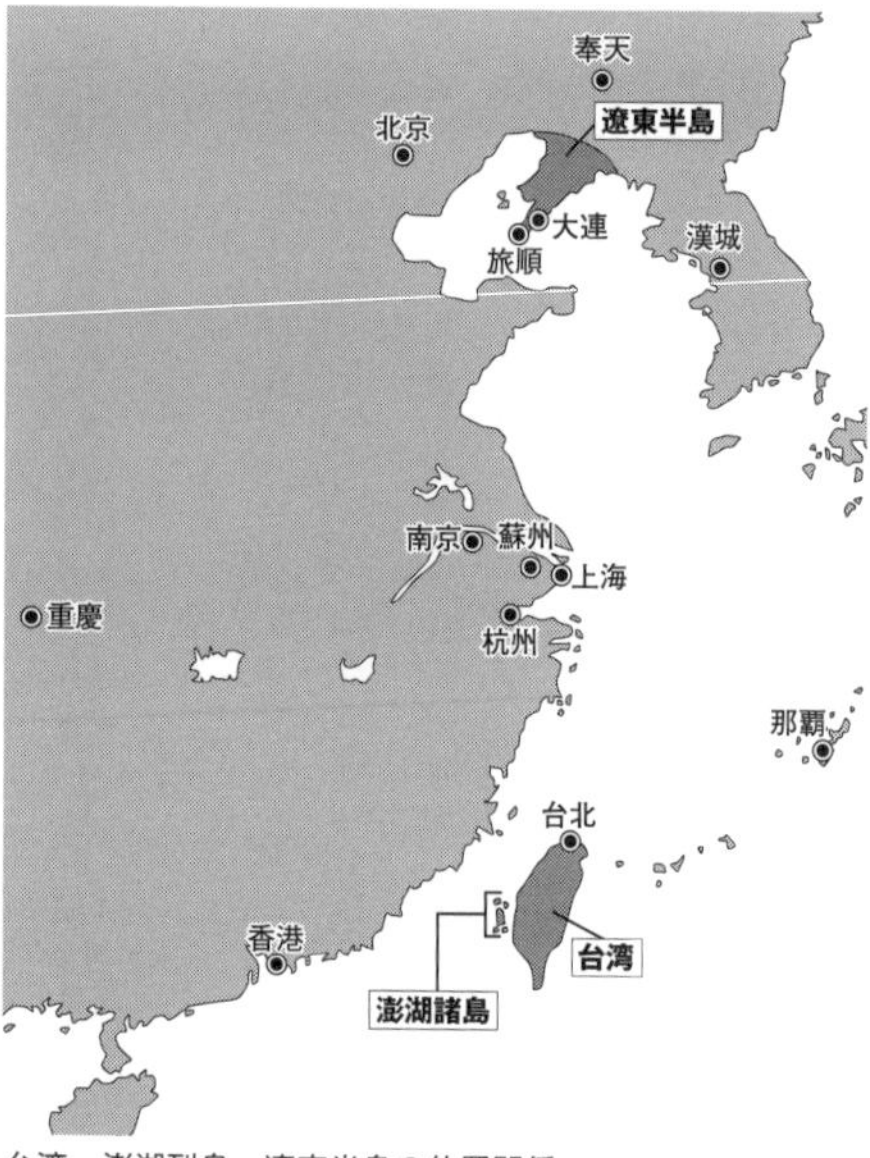

台湾、澎湖列島、遼東半島の位置関係

一方、現在進行形の日清戦争では、ロシアは介入する気満々です。日露の国力差は、普墺戦争時のプロイセンとフランスの比ではありません。伊藤ら日本の政府首脳からしたら、ドイツの陰謀は知る由もありませんが、地政学で判断すれば日本の勢力伸長をロシアが喜ぶはずがないので、介入してくるのは必定です。

清との和平は、目の前の清が相手ではありません。ロシアへの警戒が主なのです。

1895年、下関会議で、台湾・澎湖《ほうこ》列島・遼東《りょうとう》半島と賠償金を取りました。ロシアが介入してくれば、その要求を跳ね返すまでの力は、その時の日本にはありません。それを見越して、下関条約では予めその分だけ余計に多く取っておいたのです。これは陸奥宗光外務大臣ら、政府首脳の判断です。後で返さねばならないから、多めに取っておいたのです。

会議の取り決めが公開された4月20日。ドイツ公使が1人で外務省にやってきて、「本国政府から非常に重要な訓令を受け、今は国名を明かせないが、明日その国々の公使たちと一緒に外務省を訪れる」と告げます。21日に来ると言いながら、結局、やってきたのは23日でした。

外務省に揃ってやってきたのは、ロシア、フランス、ドイツの3国の駐日公使たちでした。「日本が遼東半島を取るのは東洋平和に反するから、返還するよう友人として忠告する」などと言い出しました。要するに、「取りすぎだから、取ったものを返せ」と言っているのです。三国干渉です。

日本は、ロシアは必ず来ると最初から踏んでいました。日清戦争が始まる前に露仏同盟を結んだフランスも付き合いでくるのは想定の範囲内です。解《げ》せないのがドイツでした。ドイツが、なぜ露仏と一緒になって日本に干渉してくるのか、理由がわかりません。

陸奥宗光

首相の伊藤博文は、当時の青木周蔵駐独公使と仲が悪かったこともあり、青木が何かしでかしたのではないかと疑ってかかります。しかし、青木公使にとって、それはまったくの濡れ衣でした。調べてみると、青木公使が原因ではないとわかりました。

ドイツが干渉に加わってきた理由は、三国干渉の黒幕がドイツ皇帝ヴィルヘルム2世その人だったからです。

伊藤ら日本政府首脳は、露仏同盟が結ばれて挟撃を心配したドイツが、日本をダシにしてロシアを東方に追いやろ

青木周蔵

うと仕向けたのだと見抜きました。
東洋の運命は東洋だけでは決められない。西洋の都合に振り回される。しかし、西洋から東の果ての日本で起きたことが、西洋諸国の運命を決める。三国干渉により、世界がつながりました。
こうしたことから西洋史家の中山治一先生は、三国干渉を世界史の成立と看做しています。

理不尽！　その時、日本の選択は？

ここで運命の選択です。

当時の日本には2つの選択肢があります。不当な干渉を撥ねつけるか、それとも泣く泣く受け入れるか。

在野の民党は、戦勝に沸き返っています。露仏独の3国との開戦も辞さない勢いです。民党は、自由民権運動以来、対外強硬を主張してきました。理不尽な不平等条約など、一瞬でも早く取り除くべきだとの正論です。ただし、その正論には、現実の力が伴いません。

伊藤は明治天皇に御前会議を召集してもらい、協議しました。日清戦争を戦い終えたばかりの日本には、露仏独のどの1国と戦っても勝てる見込みが無い。民党の求めるような強硬論を貫けば、国を滅ぼされる危険すらある。ならば、戦う選択肢はない。今は耐えるしかない。そもそも、このような状況を見越して、清国に多めの要求をしていたのだから。

御前会議は、「臥薪嘗胆」に衆議一決しました。目的を遂げるまでは硬い薪《まき》の上に臥《ふ》し、苦い肝《きも》を嘗《な》める労苦を課し、努力を重ねる決意です。

ちなみに、臥薪嘗胆の由来は古代中国の歴史書ですが「薪の上で三年寝て暮らした」とか、「毎日、家に帰ってくると苦い肝を嘗めた」とか、本当の事かどうかよくわからない話です。ただ、明治の日本人は「臥薪嘗胆」と口走る時、必ずロシアへの復讐を誓っていました。

明治天皇

日本は遼東半島を返す代わりに、賠償金を上乗せすると露仏独そして当事者の清に認めさせました。戦争に勝った場合、土地か金を得るのは権利です。我が国は堂々と主張しました。

そして、三国干渉を仕掛けた黒幕が実はドイツだとの事実を隠し続けました。もし激高する民党の人たちが知れば露仏独の3国同時に開戦しろと言いだしかねなかったからです。

日本は、目の前の脅威であるロシアと戦う準備を始めます。翌1896年から、海軍軍備増強計画が始まったのもその1つでした。

19世紀末、「海を制する者は世界を支配してきた」という思想が大流行しました。

古代ギリシャやローマ帝国に始まり、ポルトガル、スペイン、オランダ、そして大英帝国と、海を制した者が世界を支配してきたのだと唱えたのが、アメリカのアルフレッド・マハン大佐です。

冷静に考えれば、ポルトガルやスペインやオランダなど、「鎖国」の時代の日本が「来るな！帰れ！」と命令したら逆らえない程度の国なのですが、19世紀はヨーロッパが世界の中心ですから、「我々は常に世界の中心だった」と言っても、説得力があったのです。

それはさておき、マハンの思想通りに大国を目指したのがアメリカ合衆国です。のちに副大統領から大統領に昇格するセオドア・ルーズベルトは、1898年に米西戦争を仕掛けるよう主導します。そして、キューバ・ハワイ・フィリピンを獲得します。

大昔に獲得した植民地を持っているだけのスペインなど、勢いに乗るアメリカからしたら鎧袖一触、とはいかずけっこう苦戦しながらも最後は勝利しました。

最初は苦戦するけど、最後は総取りするのがアメリカの勝ちパターンです。

この時もヴィルヘルム2世が絡みます。カイザーは、マハンが書いた『海上権力史論』という本を読んで、「そうだ、我が国も海洋大国になろう！」と言い出します。これはイギリスに対抗すると宣言するようなものです。さらに言うと、米西戦争でドイツはスペインに肩入れします。

アルフレッド・マハン大佐

セオドア・ルーズベルト

英米は独立戦争以後、仲が悪いのですが、やたらと「血の一体」を強調し始めます。

本当に仲が良ければ「僕たち、友達だよね」などと言わないものですが、共通の敵が出てくると話は別です。ヴィルヘルム2世の発言を聞いていると、まるで「世界征服をしたい！」と言わんばかりです。

ルーズベルトは「カイザーはパイプドリーマー」と評しました。世界中で陰謀を企むヴィルヘルム2世は、まるで味方を減らして敵を結束させるのが目的であるかのようでした。

北清事変と大英帝国の凋落

さて、アジアです。日清戦争で清が「眠れる獅子」ではなく、本当に「眠れる豚」である実態がバレてしまいました。そうとわかって、列強が次々に手を出してきました。世は帝国主義、世界中が戦国時代です。日本に三国干渉したロシア、フランス、ドイツ、そしてイギリスが清を食い物にしていきます。隣国ですから、日本も他人事ではありません。列強の動きには、神経を尖らせます。特に、日本から遼東半島を奪ったロシアに、国民の怒りが集中します。ただただ、臥薪嘗胆です。超大国のロシアに対抗できる軍備を整えます。

そうした中、1899年に清国で義和団事件が勃発します。義和団とは、清国の農民の間にできた秘密結社です。スローガンは「扶清滅洋《ふしんめつよう》」、「清を扶《たす》け、西洋を滅ぼす」の意味です。この集団は暴徒化し、イナゴのように数を増しながら、北京を目指します。そして、翌年、北京にある8か国の公使館を包囲する暴挙に出ました。外交官や民間人も殺されます。公使館が取り囲まれたのは日本、イギリス、フランス、ロシア、ドイツ、アメリカ、オーストリア、イタリアの8か国です。

清国は反乱を制圧し暴徒を取り締まるどころか、混乱に乗じて列強相手に宣戦布告する始末です。

単なる暴徒の反乱ではない事態に、特にイギリスからの強い要請もあり、日本は清に出兵します。８か国連合軍が結成されましたが、主力は最も近い日本です。イギリスは当時、南アフリカでのボーア戦争で手一杯で、アジアにまで十分な兵力を回せなかったのです。ボーア戦争は１８９９年10月に始まり、１９０２年5月まで続くこととなります。

８か国連合国軍のなかで日本の兵力は最大です。さらに、国際法を一番守って戦うので、列強から尊敬されます。日本に次ぐ兵力を出したロシアが規律に従わなかったり、ほかの国を出し抜いて行動したり、すさまじい掠奪をはたらいたりしたのとは大きな違いでした。

日本の海軍陸戦隊

義和団の蜂起に端を発し、清国が宣戦布告し、これを連合軍が制圧して北京を占拠するに至った一連の事件を、日本では北清事変と呼びました。

北清事変制圧後、ロシアが満洲に居座ります。これは日本にとって脅威です。しかも、常にそのときの強者に追随する朝鮮が、清からロシアに乗り換え、いまや朝鮮半島までもがロシア一色になりました。敵対勢力が日本の目と鼻の先の朝鮮半島に陣取ります。

ロシアの満洲居座りは日本だけでなく、清に権益を持つイギリスにとっても好ましくありません。そのロシアはフランスと露仏同盟をすでに結んでいます。イギリスと植民地をめぐって長年争ってきたフランスがロシアの同盟相手なのです。かつてパーマストンが「同盟など煩わしいものは要らない」と豪語していた時代とは変わり、イギリスは「光栄ある孤立」とはいかなくなってきていたのです。

ちなみに、ボーア戦争でイギリスは大苦戦し、とうとう世界に冠たる大英帝国も凋落したと思われます。イギリスはこの戦いに勝つには勝ったのですが、大量の軍隊を動員したので、「そこまでやらないと勝てないのか」と思われたのです。そして、これにカイザーが余計なことをしでかします。

8か国連合国軍

開戦直前から初頭の話です。今の南アフリカにある、オレンジ自由国ではダイヤモンド、トランスヴァール共和国では金の鉱脈が次々と発見されていました。イギリスは両国の併合を画策します。

ところが、ケープ植民地相のセシル・ローズが友人のジェームソンとその軍隊をトランスヴァール共和国に侵攻させますが、失敗に終わりました。

イギリスの失敗を知ったヴィルヘルム2世が、よせばいいのにトランスヴァール共和国のクリューガー大統領宛に「侵入を防いでよかった」と祝電を打ちました。ヴィルヘルム2世の電報の一件が知れ渡り、イギリスを激怒させます。当たり前の話ですが、他人の失敗を笑うと、恨みを買います。ヴィルヘルム2世の祖母にあたるヴィクトリア女王はお小言の手紙を送ります。また、ヴィルヘルム2世は訪英を拒否されます。

もしパーマストンの時代なら、鉄槌を下されかねません。そもそも、パーマストンの時代にイギリス相手にこんな舐めた態度をとる国はありませんでした。

セシル・ローズ

ところが、イギリスは長く続く戦争に疲れ切っていました。自分が南アフリカにエネルギーをとられているうちに、ロシアは悠々と東アジアに勢力を伸ばしています。イギリスは、焦ります。

ここで登場するのが、またもやヴィルヘルム2世です。カイザーは、ロシアを牽制したいイギリスに近づきます。これにイギリスは、乗りました。

「極東の番犬」で上等！　日英同盟成立

1900年、英独協定が結ばれます。この協定はドイツ側からは「揚子江協定」と呼ばれますが、ドイツが揚子江流域の門戸開放をイギリスに義務付けようとしていました。北清はロシアの勢力圏なので、揚子江周辺に権益を持つイギリスと、青島を支配するドイツが手を組もうとの思惑です。

さらに、ドイツはこの協定に日本も誘おうとイギリスに持ち掛け、日英を接近させておきながら、自分はいつの間にか離脱しています。気がつけば日英だけが交渉の場に残されていました。「ロシアに対抗する日英独の三国同盟」を持ち掛け、ドイツは消えていました。残るのは、「ロシアに対抗する日英同盟」の構想です。

では、日本はどうしたか？　そのまま日英同盟に突き進みました。カイザーが何を企んでいようが、イギリスを交渉の場に引きずり出してくれました。誰にどんな思惑があろうとも、現実に日本の目と鼻の先に居座るロシアに単独で対抗できない以上、イギリスと組めるなら組んだ方がいいに決まっています。

イギリスとしては、日本を「極東の番犬」と思っています。ロシアにけしかける犬なので、猟犬でしょうか。勝てるとは思わないけど、ロシアへの嫌がらせには使えると見做したのです。「日英同盟」と言っても、極東に限っての話で、日本を大英帝国の対等の同盟国と考える国は、世界に1つもありませんでした。それでも、同盟は同盟です。日本にとって、無いよりはマシです。

1902年1月、日英同盟が成立します。

同年4月、ロシアは清とのあいだに満洲撤兵条約を締結し、1年半かけて段階的な撤兵を約束しますが、実際に撤兵が行われたのは最初の1回だけで、条約は反故にされたも同然でした。相変わらず、ロシアは満洲に居座り続けます。

桂太郎

アレクセーエフ

1903年7月、桂太郎内閣が日露交渉を始めました。ロシアは日本を対等の交渉相手と思っていません。交渉にあたったのは、アレクセーエフ極東総督でした。この人物は、極端な人種差別主義者です。日本人など黄色いサルとしか思っていません。政府が直接乗り出さず、こんな人物に全権を任せた時点で、ロシアは日本と戦争をする気はありません。対等の戦争ではなく、一方的な「狩り」をする気なので

ニコライ２世

フランツ・ヨーゼフ１世

す。実際、力の差は歴然でした。

日本はロシアに満韓交換論を提示します。満洲はロシアの勢力圏、朝鮮は日本の勢力圏と互いに認め合おうとの提案です。それがダメなら、せめて39度線を越えて南下しないでほしいと申し入れました。古代以来、朝鮮半島が敵対的になれば、日本は戦わざるを得なくなります。せめてもの最後の妥協が、39度線だったのです。なお、朝鮮半島の真ん中の38度線ではありません。今の北朝鮮の真ん中の、39度線です。

これを、ロシアは嘲笑《あざわら》って一蹴しました。正確に言うと、アレクセーエフはまともに交渉せず、ロシア政府はまじめに問題として取り合いませんでした。ただし、「狩り」の準備だけはしていました。

日露交渉が進まない中の1903年9月末、ロシア皇帝ニコライ2世が、オーストリアの皇帝フランツ・ヨーゼフ1世を訪ねました。ニコライ2世はバルカン半島の統治権問題をめぐって大幅に譲歩した案を出し、フランツ・ヨーゼフ1世と妥協しました。後顧の憂いを絶って、日本と戦うつもりなのです。

日本はロシアのこの動きを見逃しはしませんでした。ロシアは伝統的に二正面作戦を行いません。「バルカンで妥協したということはアジアで戦う気だ」と日本は看做したのです。

そして1904年2月4日の御前会議で「開戦、やむなし」となり、日露戦争が始まります。

1回も負けられなかった日露戦争

日英同盟も露仏同盟も、「1対1では中立を保つが、敵が他国の加勢を得れば参戦する」との内容になっていました。英仏ともに、同盟国に付きあってまで大戦争を行う気はありません。そして英仏も気づいています。日英対露仏の大戦争こそが、カイザーの狙いなのだと。

英仏両国は日露の緊張に合わせ外交交渉を急ぎ、日露戦争の最中に英仏協商を締結します。英仏協商の締結で、カイザーが狙った、日英と露仏に戦わせてドイツが漁夫の利を得るといった目論見は潰《つい》えました。

日本も外交で何もしていない訳ではありません。ロシアに戦闘で勝ち続け、疲れたところで和平を呑ませる以外に勝ち目はありません。ロシアは日本全土を征服する力がありますが、逆はありません。まさか、シベリアを越え、ウラル山脈を越え、モスクワを越え、首都サンクトペテルブルクで降伏を迫る、など不可能です。

元老筆頭の伊藤博文は首相の桂太郎と相談し、アメリカに仲介してもらうよう、工作しようと考えました。

当時の世界の大国は、日本の同盟国のイギリス、露仏同盟、独墺同盟に分かれています。この中で純粋な中立国の筆頭はドイツです。しかし、ヴィルヘルム2世を絡ませると、何をされるかわかりませんし、まとまる話もぶち壊されそうです。

金子堅太郎

そこで新興の大国であるアメリカに白羽の矢を立てたのです。もっとも、アメリカが受けてくれる保証などどこにもないので、外交によって「工作」しようとしたのです。この場合の「工作」とは、「他人を当てにするのではなく、相手に自分の意思を聞かせる」の意味です。
高平小五郎駐米公使の応援に、ルーズベルトと大学で同級生だった金子堅太郎を送ります。金子は伊藤博文の側近として帝国憲法の起草に携わった人物ですが、国際政治にも深い見識と英語での交渉力を持っていました。
戦いとは、勝利の絵図面から逆算してはじめるものです。
日本の戦い方は、基本的には日清戦争と同じです。日本列島から朝鮮半島への通商路を確保する。黄海にロシア艦隊を封じ込める。仁川から陸軍が上陸しソウルを一気に落とし、北上してロ

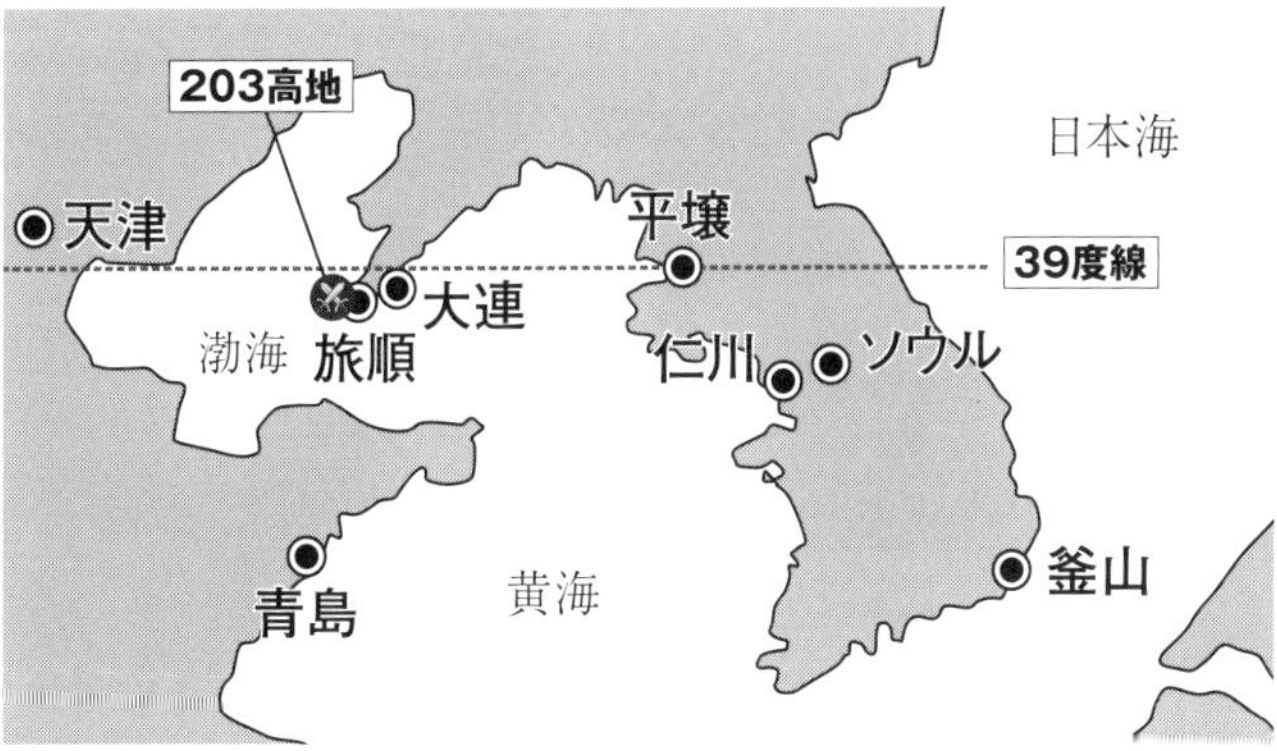

黄海、仁川、ソウル、203高地の位置

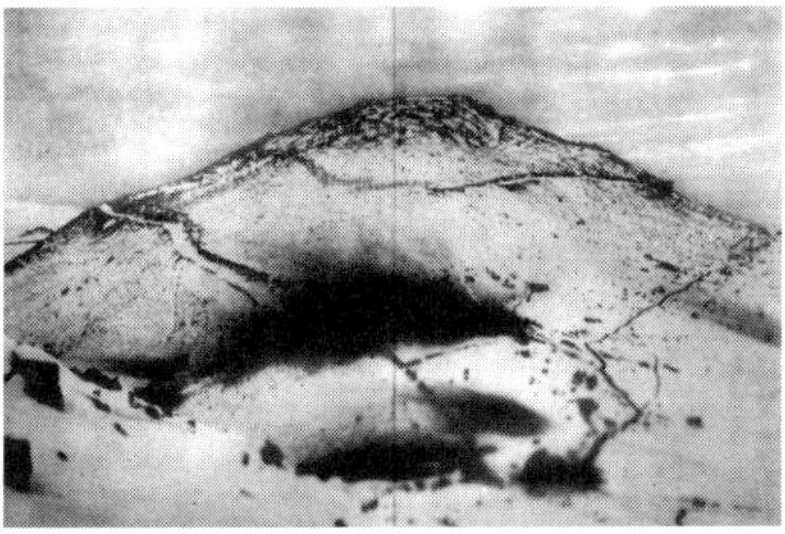
旅順の203高地

シア軍を39度線の北に追い返す。ただし、日清戦争よりも状況は困難でした。

まず、黄海に封じ込めるのにも、大激戦でした。開戦初頭の旅順港封鎖作戦で、いきなり戦艦2隻が沈みます。また、黄海を一望できる旅順の203高地は頑強な要塞で、多数の死者が出て最終的に20万人に達します。ロシアの固定式機関銃の前に、多くの兵士が斃れました。乃木希典将軍は苦しい戦いの指揮を強いられます。

日本は陸で苦戦を続けながら、清よりはるかに強大なロシア陸軍を撃破します。ただし、薄氷の勝利の連続です。もし1度でも負けたら、総崩れになる緊張の中での戦いです。

1年半に及ぶ戦いは多額の戦

乃木希典

28 センチ榴弾砲を取り外して運び
攻城砲として旅順要塞へ攻撃

費を浪費し、イギリスなど外国からの借金だけでは足りず、国民には増税に次ぐ増税を求めました。国民は苦しい生活に耐えて戦争に協力しました。

難攻不落の２０３高地も、東京湾に要塞砲として備え付けられていた28センチ榴弾砲を取り外して運び攻城砲として使うという奇策で、攻略しました。そして、朝鮮から南満洲にまでロシア軍を追い出します。

世界を変えた日本の大勝利

１９０５年3月10日、奉天会戦では遂にロシア軍を潰走させました。ただし、日本陸軍は、追撃したくても弾丸が尽きてしまいました。陸軍の大山巌《いわお》元帥は、「もはや和平しかない」と政府に訴えます。

ただ、ロシアには切り札がありました。バルチック艦隊です。バルト海に本拠地を置くからバルチック艦隊です。極東のロシア海軍は封じ込めていますが、バルチック艦隊が東アジアに到達し、軍港のウラジオストクにたどりつけば、一気にロシア海軍が優勢になります。

何としても、その前に撃破しなければなりません。ただ、バルチック艦隊の姿を発見できません。太平洋から来るか、対馬沖を通るか、二つに一つ。連合艦隊司令長官の東郷平八郎大将は、対馬沖に来ると確信して待ち構えていました。

バルト海から地球を延々と一周して日本に来るのです。しかも道中、イギリスがことごとく嫌がらせをしてくれます。港からすぐに追い出すとか、燃料や食料を渡さないとか。同盟国として、戦闘以外のすべての協力をしてくれました。そんな疲れ切ったバルチック艦隊が、さらに遠回りの太平洋を通る訳が無いと考えたのです。そして対馬沖に向かっているとの情報が入りました。

東郷平八郎

連合艦隊は、対馬沖でバルチック艦隊を迎え撃ちます。日本海海戦です。この日の為に10年間、「丁字型戦法」を訓練していました。敵の眼前で左右に分かれ、丁字に動くから「丁字型戦法」です。敵の目の前で移動するのは、最も危険な行為です。圧勝か惨敗しかない戦法です。

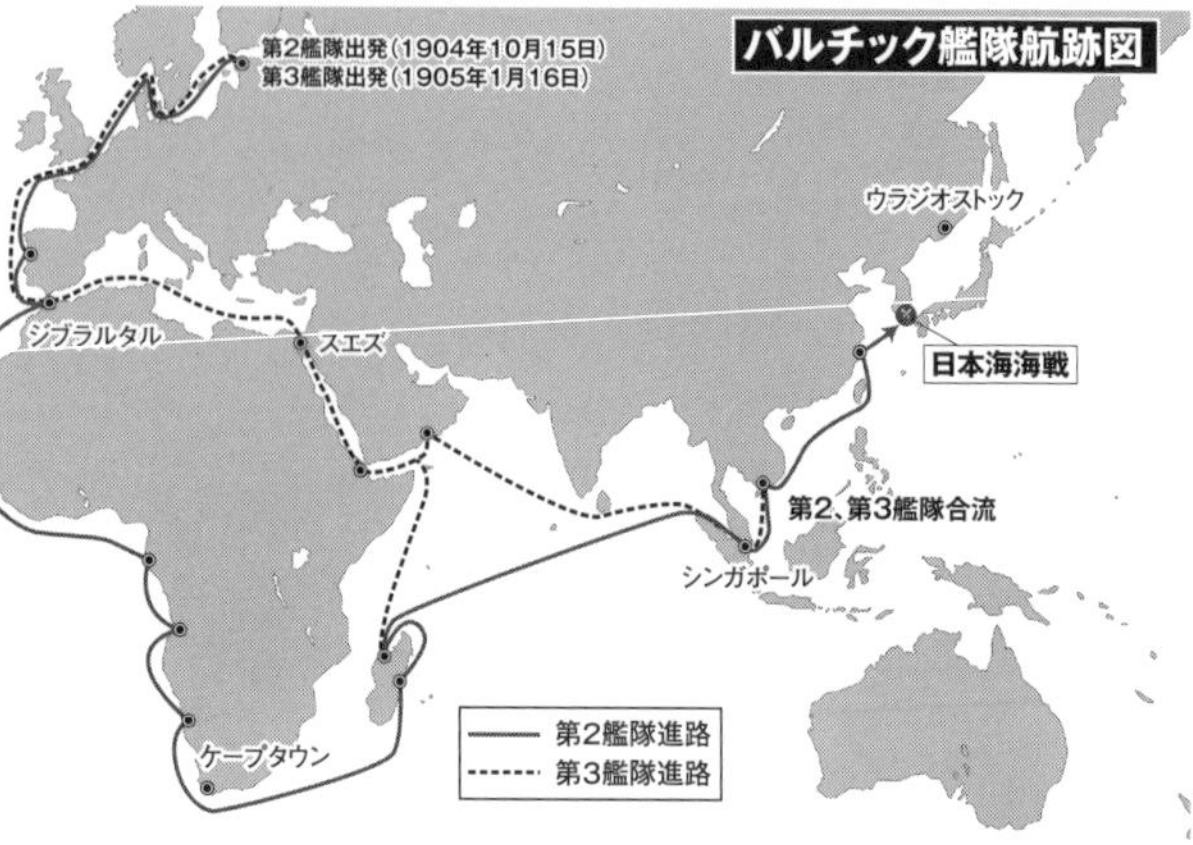

まさに疲れ切ったバルチック艦隊

結果は完勝でした。日本海海戦は、世界史に残る一方的な勝利となりました。ここで日本は動きます。

1年半、アメリカを日本に友好的にさせるよう広報活動に従事していた金子堅太郎が、ルーズベルト大統領に和平の仲介を依頼します。ルーズベルトは受け容れました。

戦艦三笠で指揮をとる東郷大将

対馬沖でバルチック艦隊を迎え撃ち

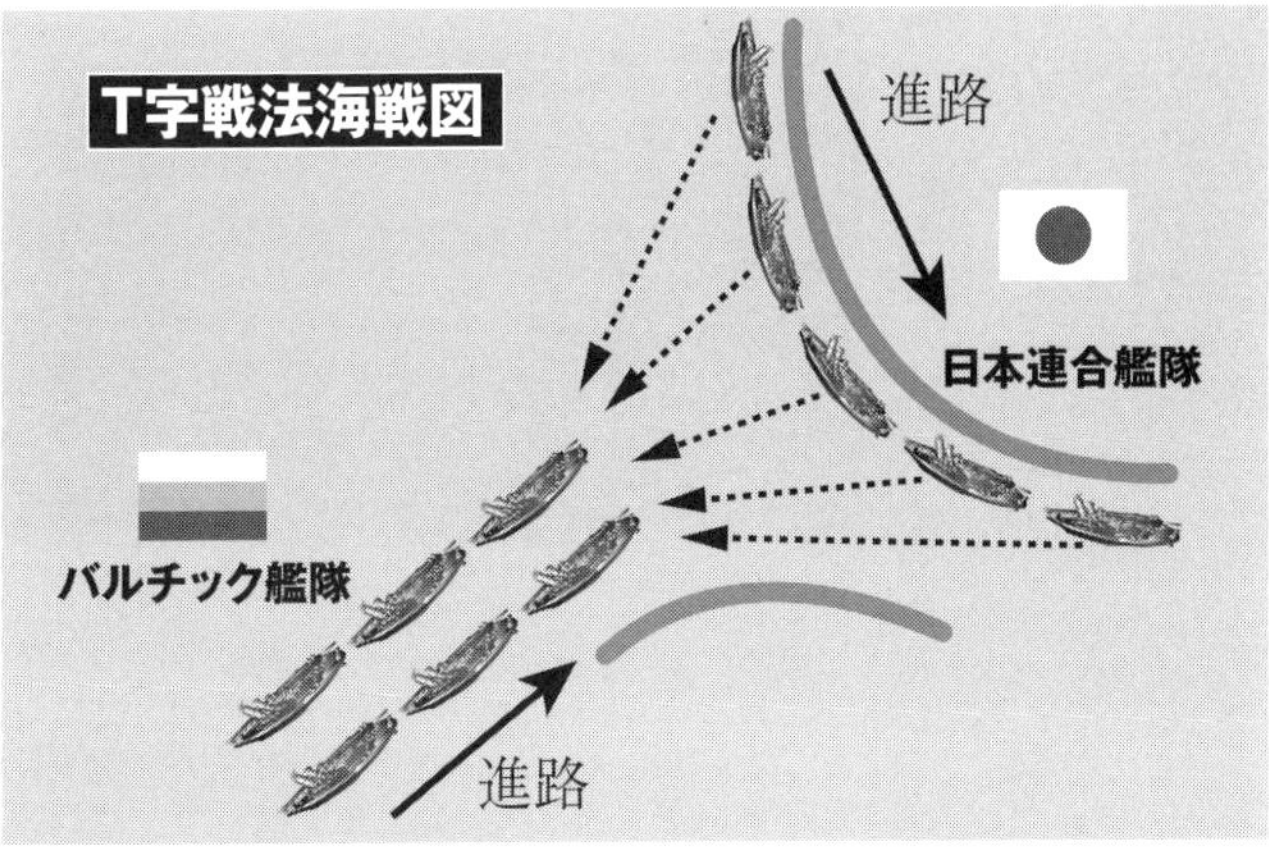

丁字型戦法(T字型戦法とも言う)

アメリカにも計算があります。大国となる条件は戦争に勝つことです。あるいは、大国の戦争の和平を仲介することです。戦争をやめさせるのは、戦争をするのと同じくらい大変です。一歩間違えれば、両方を敵に回しかねませんから。

アメリカは米西戦争では、既に小国に落ちぶれたスペインに勝っただけです。しかし、超大国のロシアの戦争を仲介すると話が違います。名実ともに大国として認めさせるには、日露戦争の仲介はやってみる価値はあるのです。

交渉は難航しましたが、日露の和平はなります。日本の戦争目的は「朝鮮半島の39度線の南にロシアを来させない」です。朝鮮半島から鴨緑江を越え、南満洲まで日本は進軍しました。完全に戦争目的を達したので、伊藤博文元老や桂太郎首相は賠償金をとれず領土もほとんど増えませんでしたが、和議を結びました。

ポーツマス会議

1905年ポーツマス条約です。

条約は、守られている限り有効である。

国内では、警察や裁判所が法を強制します。しかし国際社会には、警察も裁判所も、統一した政府すらありません。多くの国が存在しているだけです。では、揉め事が起きれば、どうやって解決するのか。外交です。では、外交で解決できない場合はどうするか。戦争です。国際社会は力によって、決まるのです。「条約を結んだ」「破った」と言っても、それは口喧嘩の道具なのです。口喧嘩によって味方を増やしたり敵を孤立させたり、無視はできないのですが、結局は力です。

ロシアなどは口喧嘩の名人で、自分が弱い時は相手をあしざまに罵って敵を孤立させます。一方で、相手が弱いと見るや、約束など無かったことにして容赦なく攻め込んできて、白々しく自己正当化する国です。

奉天会戦の時点で、日本は弾薬が尽きていました。もしそれがバレたら、ロシアは攻めてきます。ポーツマス会議中は隠し通しましたが、ロシアは日本への復讐を狙っていたのです。まったく安心できません。ただ、当時の日本の政治家たちは、自分の目の前の問題だけではなく、地球儀全体を俯瞰して国の行く末を考えていました。また、歴史を大事にしました。

そもそも事の発端は、三国干渉でドイツがしゃしゃり出てきたことです。結果、日露戦争に至りました。しかし、両国の戦いは決着がつきました。ロシアからしたら、得るものが何もない、骨折り損のくたびれもうけです。そもそもロシアにとって、バルカン半島の方が、満洲などより重要な土地です。

１９０７年に世界は動きます。この年、日仏協商・日露協商・英露協商と3つの条約が立て続けに結ばれました。「協商の年」とも言われます。日英同盟と露仏同盟が結びついたのです。そして、ウィーン会議以後の英露「冷戦」も終結します。三国干渉で日本はロシアのエサにされ、イギリスのイヌとして何とか生き残りました。そして日露戦争を勝ち抜いて気がつけば、日本だけが安全地帯にいます。陰謀の張本人のドイツは、包囲されている状態です。

その後、「英仏露 vs. 独墺同盟」は、第一次世界大戦に突入します。

１９０７年は明治40年です。日本は以後10年、何も考えないで生きていける国になりました。幕末以来の緊張から解放されたのです。

そしてその10年後の１９１７年、ロシア革命が起きます。ロシアは、ソ連という凶悪な国に乗っ取られてしまいました。

それ以後から現在までを語るには、この本と同じくらいの分量が必要でしょう。

問 あなたが、1895年三国干渉のときの伊藤博文だったらどうする?

史実では。

臥薪嘗胆。

第6章の教訓

生き残りたければ、知恵と力を振り絞れ! そして、耐えるべき時は我慢し、勝つ為に備えよう。

おわりに

日本人から見た英雄たちの世界史は、ここで終わりです。

日本人が教わる世界史の英雄、実際に世界を動かした歴史上の人物に、我々の御先祖様はどのように対峙したかを知りました。

なんだかんだと日本は、平和な国でいられました。運も良かったし、運をつかみ取る人がいたからです。「日本は19世紀まで世界史に登場しない国だ」と揶揄されることもあります。

では、その世界史とはなんでしょうか。

中華帝国の興亡を記しただけの東洋史と英仏独の歴史観を足しただけの西洋史の二つを「世界史」と呼ぶなら、我が国が登場しなくても結構。侵略と略奪と虐殺と圧制だけの世界史などと関わり合いにならなくて済んだから、日本は平和でいられたのです。時に巻き込まれそうになっても、北条時宗や豊臣秀吉のような立派な人物が、跳ね返しました。

この本は、1907（明治40）年で終わります。

日露戦争に勝ってロシアの脅威を跳ね飛ばし、日英同盟と露仏同盟が結びついてドイツ包囲網ができたことで、日本だけが10年間何も考えずに生きていける安全地帯にいる権利を、勝ち取りました。

アヘン戦争以来の危機を日本人自らの努力で勝ち取った権利です。三国干渉ではドイツにロシアのエサとして投げ出され、日英同盟ではイギリスのイヌにされ、必死に耐えて力を付けて、戦いに勝って勝ち取った権利です。

本書の主人公である大久保利通や伊藤博文、あるいは維新回天の扉を開いた高杉晋作や日露戦争で首相を務めた桂太郎は、世界史を跳ね返した英雄と呼ぶにふさわしい偉人です。

では、その後の歴史において、英雄にふさわしい人物は登場したでしょうか。残念ながら、１９０７年以後の日本人は、本当に何も考えませんでした。第一次世界大戦（１９１４～18年）も他人事でした。幕末明治以来の遺産があったので、世界大戦に巻き込まれるのを軽く拒否する力があったからです。そして、当時の為政者たちは、それに甘えました。

１９１７年のロシア革命で、ソビエト連邦（ソ連）という国が日本の隣に誕生します。共産主義という、恐ろしい思想を掲げる国です。ソ連は、「世界中の政府を暴力で転覆し、地球上の金持ちを皆殺しにすれば、全人類が幸せになれる」という危険極まりない主張を公言し、実行に移しました。そして第二次大戦が勃発し、地球の半分がソ連のものになりました。

結果、大日本帝国は地球の地図から消されてしまいました。日露戦争の勝利からわずか40年。建国以来はじめて外国に占領されるという憂き日を見ました。

もし本書の続編を描くとするならば、「英雄」ではなく、別の切り口が必要となるでしょう。

本当の事を書こうとしたら、陰鬱な歴史書になるのは間違いありません。

確かに敗戦後の歴史教育は偏っていました。戦前戦中の日本は悪い国だった。周辺諸国に侵略をして、人として許されない迷惑をかけた。だから未来永劫、日本人は世界中に謝り続けなければならない。

さすがに極端すぎる教え方です。これでは「学校で習った歴史などよく覚えていないが、なんとなく日本は悪い国のように思える」となってしまうのは、仕方ありません。どこかで正さなければならないでしょう。では、どんな正し方であるべきでしょうか。

最悪なのが、「戦前戦中の日本はすべて正しかった。日本を悪く言う奴は、すべて嘘つきだ」式の教え方です。そんなはずがありません。批判すべき点が一つもないなら、なぜ負けたのか。道徳的に善か悪かと、利口か愚かかは、まったくの別問題です。「戦前戦中の日本は悪だ」という誹謗中傷に反論するのは当然ですが、愚かだった点の反省をしなければ、永遠に負けっぱなしでしょう。

では、仮に私が「理想の歴史教科書」を作るとしたら、どんな教え方をするでしょうか。やはり、段階を踏んで教えるでしょう。

一例をあげます。「特攻隊の生みの親」とされる、大西滝治郎海軍中将を取り上げるとしましょう。

初等教育、特に小学校では「大西滝治郎という立派な人がいました」とだけ教えます。敗色濃厚の昭和19年、大西中将は泣く泣く特攻隊という飛行機で敵に体当たりする戦法を断行し、アメリカ軍を震え上がらせました。大西中将は特攻作戦を行うと決まった後、家族と連絡も取らずに暮らしました。人に「九死一生ではない、十死零生」の戦法を強制するのだから、自分は人として幸せを生きる資格が無いと戒めたからです。そして敗戦直後、わざと苦しむような形で切腹し、特攻隊として散華した若者たちに詫びたのでした。とだけ教えます。

中学に入ると、大西中将自身は特攻隊に反対だったこと。そもそも大東亜戦争は、コロンブスに始まる白人の横暴に立ち向かうための戦争だったこと。大日本帝国自身は滅びたけれども、有色人種の国々は解放されて、白人の支配はついえたこと。などなど、我が国の正統性を教えます。

初等教育の目的は、子供たちが「なんとなく日本は良い国だった」と思えるようにすることですから、余計なことは教えません。

高等教育になると、概説を教えます。当然、暗黒面も教えます。

高校の段階で、日本史と関係する世界の国々の歴史を教えます。歴史とは、事実に基づいて原因と結果を理解する学問です。当然、「日本がなぜ負けたのか」を考える材料としての知識が教えられなければなりません。自分の国の嫌な面を見るのですから、それ以前に「日本は良い国だ」と思っていてくれなければ困るのです。

美しい話だけ教えていればよい初等教育と、綺麗ごとだけ教えても意味が無い高等教育の分かれ目です。

もし高校教育で大西滝治郎について触れるなら、当時の日本海軍がどのような組織で何を考え、何を実行したか。事実を教えていくべきでしょう。大西も人間なので、決して美点だけの人物ではありません。「特攻隊三人男」の一人とされてからは、むしろ積極的に特攻作戦を主張していきます。そうした背景に、「一度決めたことは変えられない」という、硬直した官僚機構の特性も教えておく必要があります。

大学に入って歴史を学ぶなら、暗黒面も含めて外国に対して自国の立場を主張できるような、幅広い教養を教えるべきです。そして、日本語で構わないので、外国人と歴史問題で論争して負けなければ、歴史学の教養が身に付いたと判断して良いでしょう。ここまでくると、大西に限らず、大日本帝国の多くの問題点が浮き彫りになるでしょう。

日本の歴史問題、あるいは歴史教育はどうあるべきかといった問題を議論する時、「自虐」か「自尊」の極端な傾向に流れがちです。しかし、一人の人間の評価に100点も0点もあるはずがないのですから、国家の評価にも100点も0点もあるはずがないのです。

本書の続編を描くとしたら、20世紀以降の100年史となります。世界を動かした人物となると、ヨシフ・スターリンでしょう。ロシア革命でソ連の指導者の一人となり、レーニンの死後は独裁者としてソ連に君臨するのみならず、第二次世界大戦を引き起こし、多くの人々を不幸にしました。いくつの国が滅ぼされたか、わかりません。

では、スターリンの侵略を跳ね返す、我が大日本帝国には北条時宗や豊臣秀吉、大久保利通や伊藤博文のような英雄がいたでしょうか。残念ながら、史実では江戸後期の危機的時代に何もしなかった徳川家斉や水野忠邦のような人たちで溢れかえっていました。そして、江戸時代と違い、昭和時代の日本は外国の侵略を跳ね返すことができませんでした。スターリンに言いように振り回され、本来ならば味方のはずのアメリカと戦争をして潰しあうこととなってしまいました。

私はこれまで、多くの著作で日本を巡る近現代史について述べてきました。

ペリー来航以来、日本とアメリカは友好国です。ペリーに脅されて泣く泣く開国したのではありません。このことは本書でも記しておきました。日露戦争以後の日米関係は良好とは言えなくなりましたが、太平洋を越えて戦争をする必然など、どこにもありません。ところが、日米双方が国策を間違え、戦う羽目になります。スターリンのソ連は漁夫の利を得ました。

スターリンは日米双方の国策を間違えさせようと、必死の工作をしました。しかし、ソ連は自由自在に日米を操ったのではありません。確かに、ソ連はスパイを放って日本やアメリカの政治家、あるいは国民世論をミスリードしようとしました。しかし、それぞれの国の政治家や国民が賢ければ、スパイなど何もできません。多くの国民、そして指導者が間違ったことを信じて、正論が通らない状況だからこそ、スパイがやりたい放題できるのです。

特に日本は悲惨でした。朝鮮を守るために、南満洲に進出する。日露戦争後は南満を守る必要が出ました。満洲国を建国します。その満洲を守るために、隣接する北支に進出し……と気が付いたら世界中に飛び出していきました。第二次世界大戦（1941～45年）で日本が戦った地域は、北はアラスカの手前のアリューシャン列島、東はハワイ、南はオーストラリアの手前のガダルカナル、西はインドです。地球の四分の一です。

こうした歴史を、本書に盛り込むのは不可能だとおわかりでしょう。

しかし、本書に書いてあるようなことを理解していないと、特に若い時に学んでいないと、20世紀以降の歴史は理解できないのもおわかりでしょう。自国の誇らしい歴史を学び、国を愛しているからこそ、自分の国の問題点を見つけ、直していこうと行動できるのですから。

もし本書が未来の日本にとって貢献できたら望外の幸せです。

本書はいつもながら、仲間に支えられて作りました。

倉山工房の雨宮美佐さんは、子供でも分かるような優しい作品に仕上げてくれる名アシスタントです。同じく徳岡知和子さんとともに、正確なリサーチで助けていただきました。

ワニブックスの川本悟史さんは、長年の気心が知れた担当さんで、やりやすいことこの上なかったです。

仲間に感謝して、筆をおきます。

倉山満（くらやま みつる）
1973年、香川県生まれ。憲政史研究家。
1996年、中央大学文学部史学科国史学専攻卒業後、同大学院博士前期課程を修了。在学中より国士舘大学日本政教研究所非常勤研究員を務め、2015年まで日本国憲法を教える。2012年、希望日本研究所所長を務める。著書に、『ウェストファリア体制　天才グロティウスに学ぶ「人殺し」と平和の法』『明治天皇の世界史　六人の皇帝たちの十九世紀』（いずれもPHP新書）『検証　検察庁の近現代史』（光文社）『嘘だらけの日米近現代史』などをはじめとする「嘘だらけシリーズ」『帝国憲法の真実』『13歳からの「くにまもり」』（いずれも扶桑社）『逆にしたらよくわかる教育勅語―ほんとうは危険思想なんかじゃなかった』（ハート出版）『大間違いの太平洋戦争』『大間違いの織田信長』（いずれもKKベストセラーズ）『バカよさらば　プロパガンダで読み解く日本の真実』（小社刊）など多数。
現在、ブログ「倉山満の砦」やコンテンツ配信サービス「倉山塾」や「チャンネルくらら」などで積極的に言論活動を行っている。

若者《わかもの》に伝《つた》えたい
英雄《えいゆう》たちの世界史《せかいし》

2020年8月15日　初版発行
2020年9月20日　2版発行

編集協力　雨宮美佐
校　正　徳岡知和子
編　集　川本悟史（ワニブックス）

発行者　横内正昭
編集人　岩尾雅彦
発行所　株式会社 ワニブックス
〒150-8482
東京都渋谷区恵比寿4-4-9 えびす大黒 ビル
電話　03-5449-2711（代表）
03-5449-2716（編集部）
ワニブックスHP　http://www.wani.co.jp/
WANI BOOKOUT　http://www.wanibookout.com/
WANI BOOKS News Crunch　https://wanibooks-newscrunch.com/

印刷所　株式会社 光邦
ＤＴＰ　アクアスピリット
製本所　ナショナル製本

ISBN 978-4-8470-9937-3